顏真卿勤禮碑

傳世碑帖精選

［第一輯］

墨點字帖／編

長江出版傳媒
湖北美術出版社

出版説明

顔真卿（七〇九—七八五），字清臣，京兆萬年（今陝西西安）人。曾爲平原太守，後封魯郡公，故有「顔平原」「顔魯公」之稱，是唐代中期杰出的書法家。

《顔勤禮碑》全稱《唐故秘書省著作郎夔州都督府長史上護軍顔君神道碑》，是顔真卿爲曾祖父顔勤禮所書。石碑四面刻字，現存兩面及一側，文至「銘曰」止。碑陽十九行，碑陰二十行，行三十八字。碑側五行，行三十七字。左側銘文在北宋時已被磨去，無立碑年月。此碑一九二二年在西安出土，後移至西安碑林。

此碑是顔真卿晚年所書，其書法藝術已進入成熟期，通篇氣勢磅礴，用筆蒼勁有力，是顔體楷書的代表作。爲便于讀者學習，本書後期稍作處理，未經後人剔剜，是顔體楷書的代表作。爲便于讀者學習，本書後期稍作處理，并添加釋文，供廣大書法愛好者臨習參考。

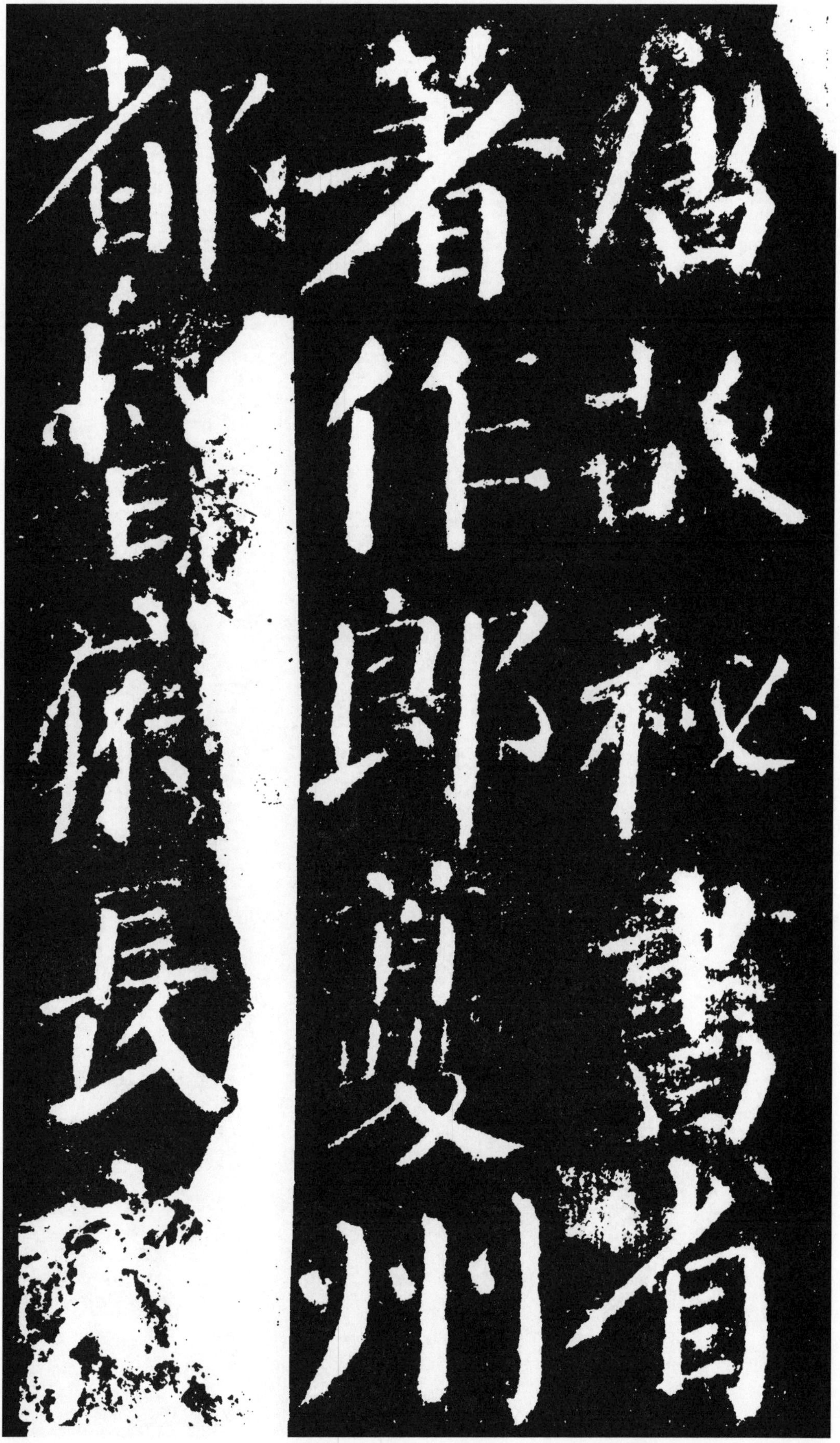

唐故秘書省　著作郎夔州　都督府長史

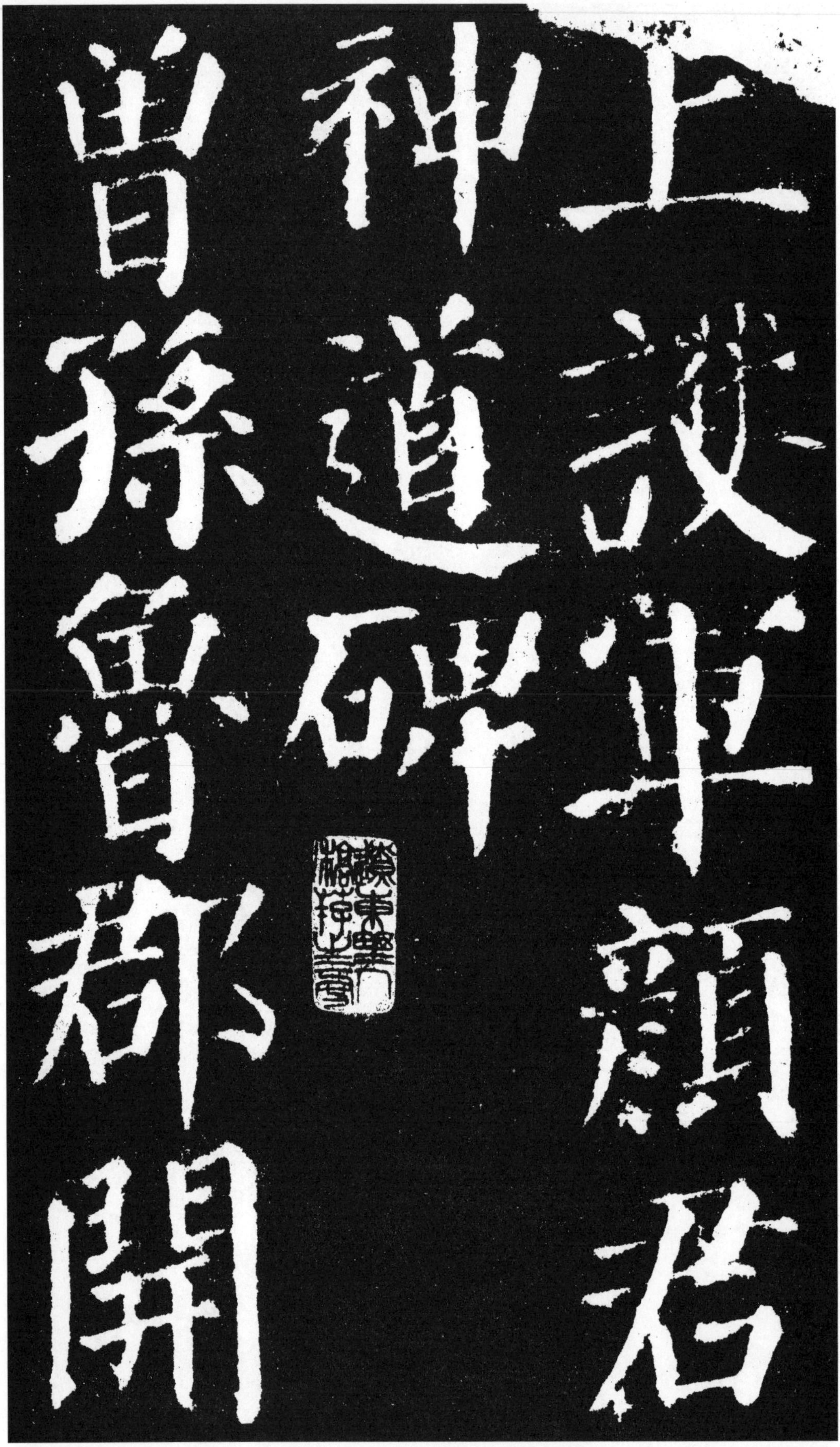

上護軍顏君　神道碑　曾孫魯郡開

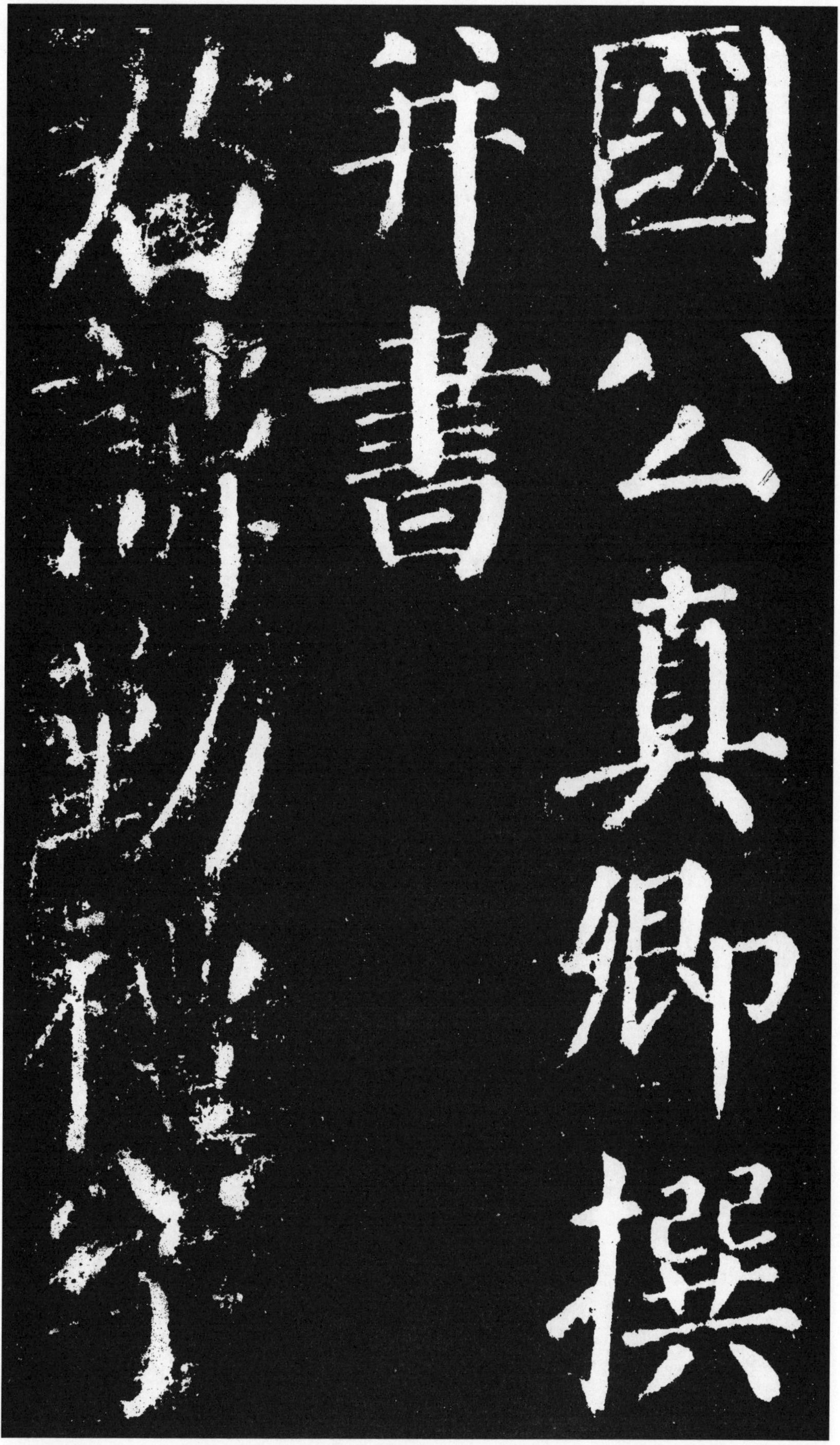

國公真卿撰　并書　君諱勤禮字

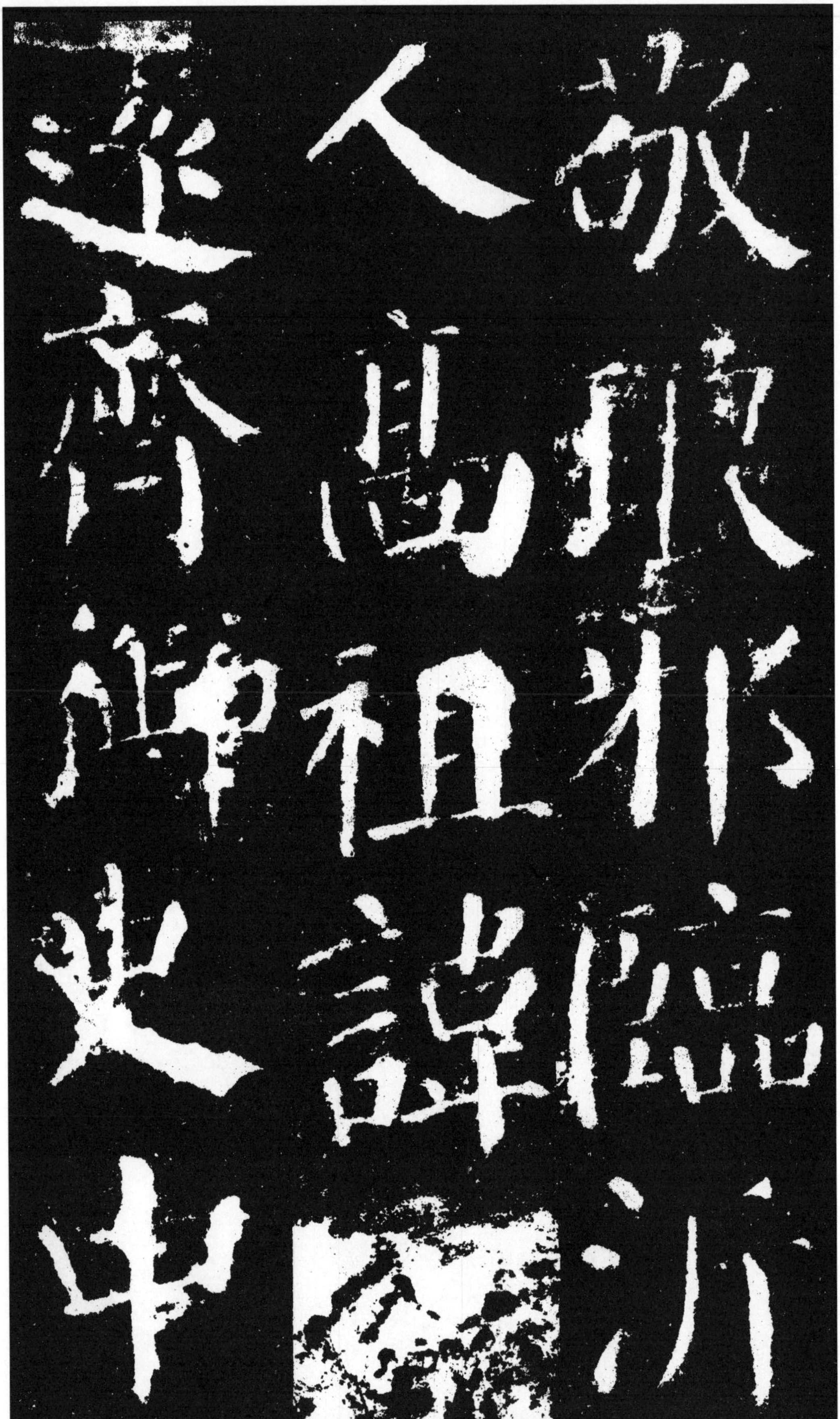

敬琅邪臨沂　人高祖諱[見]　遠齊御史中

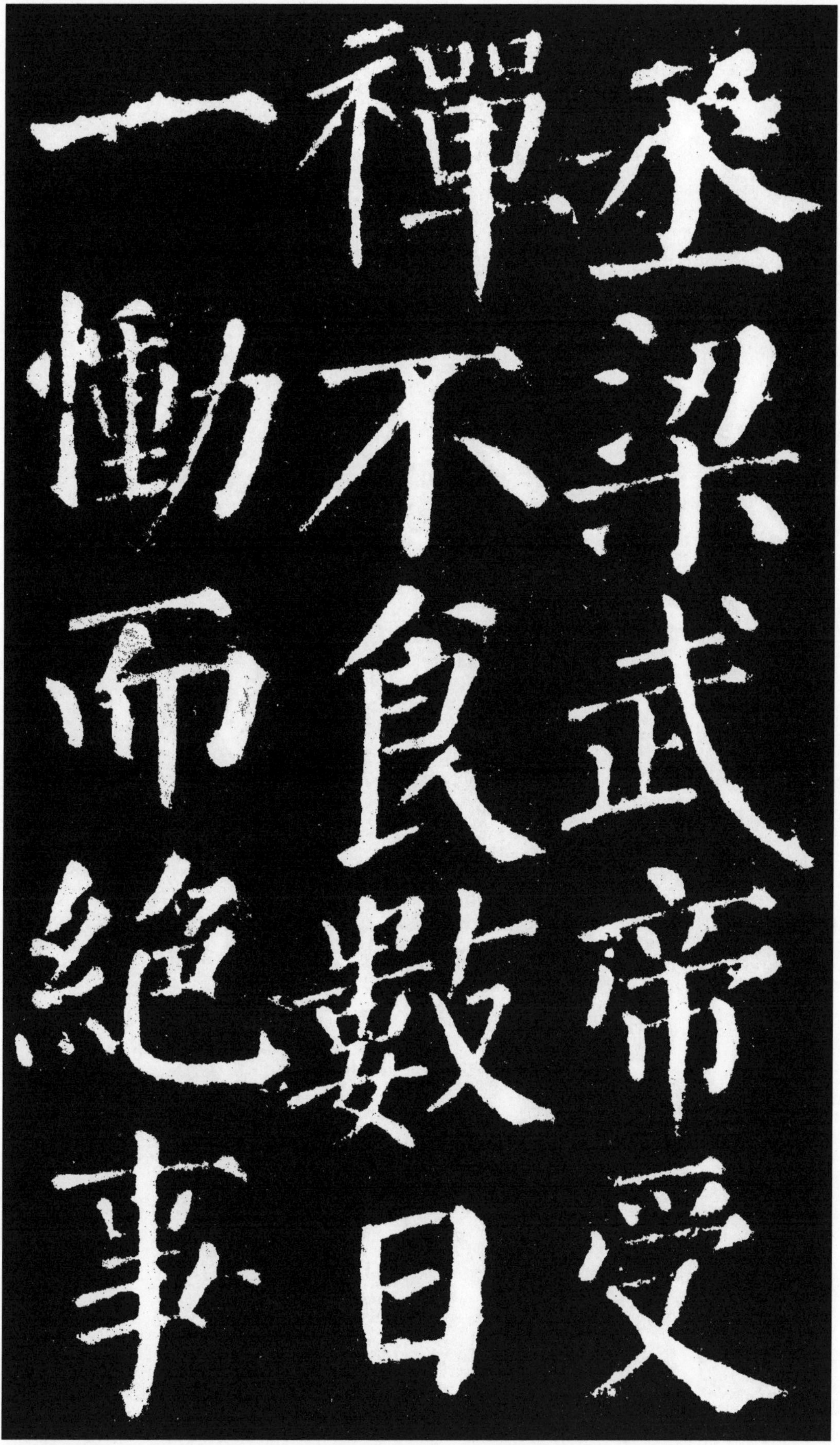

丞梁武帝受　禪不食數日　一慟而絶事

見梁齊周書
曾祖諱協梁
湘東王記室

參軍文苑有 傳祖諱之推 北齊給事黃

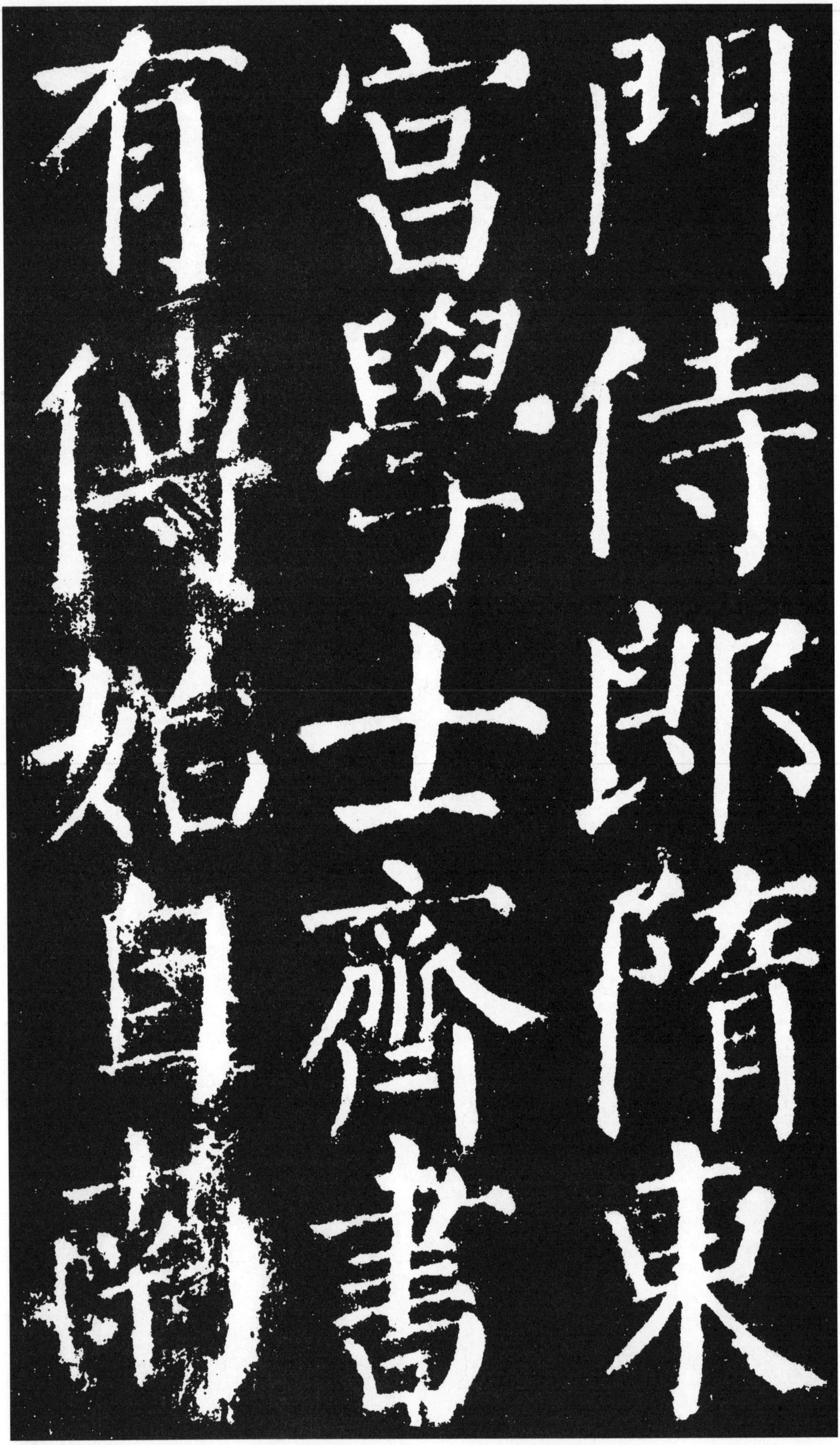

門侍郎隋東　宮學士齊書　有傳始自南

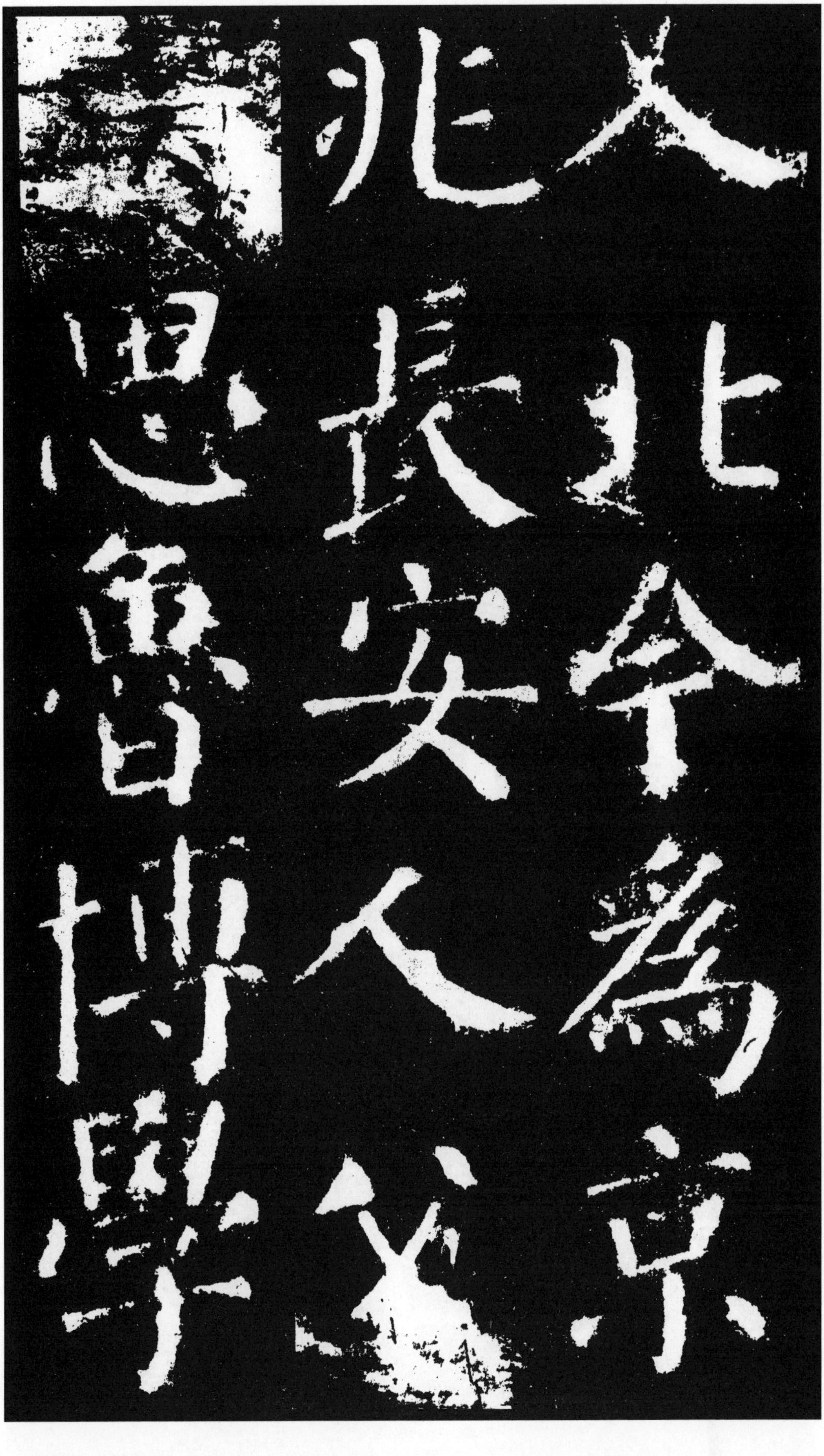
入北今為京
兆長安人父
思魯博學

入北今爲京　兆長安人父　諱思魯博學

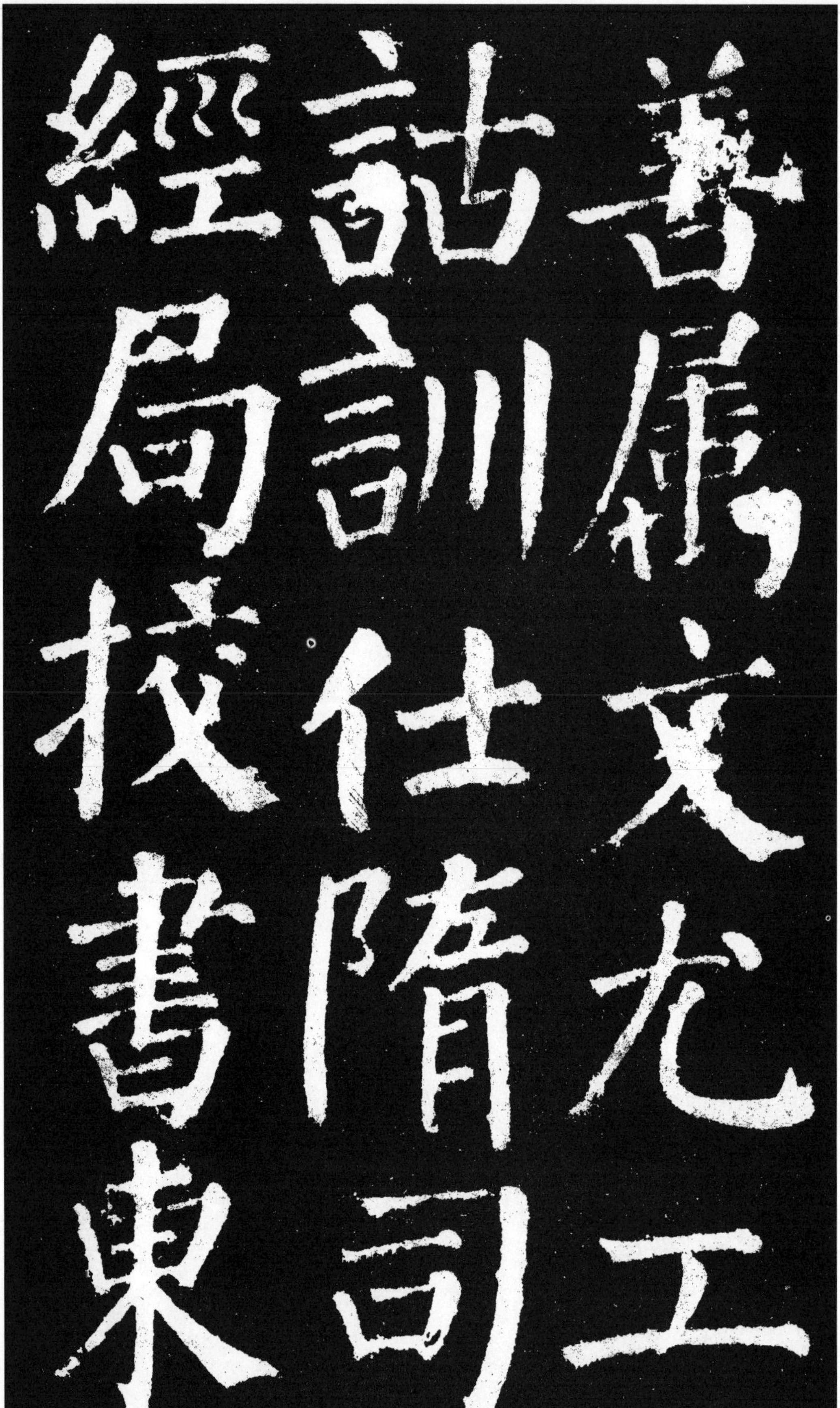

善屬文尤工　詁訓仕隋司　經局校書東

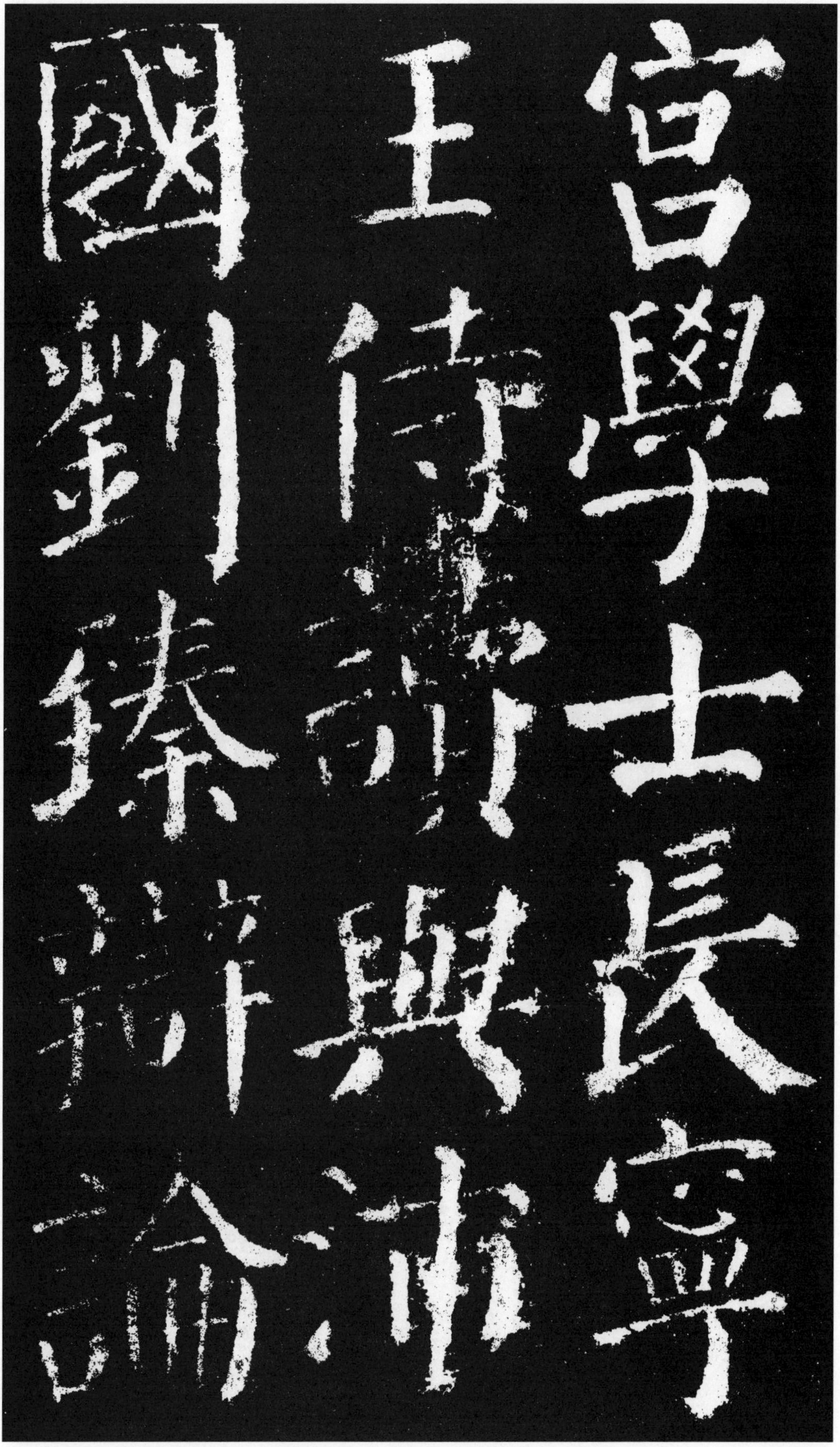

宮學士長寧　王侍讀與沛　國劉臻辯論

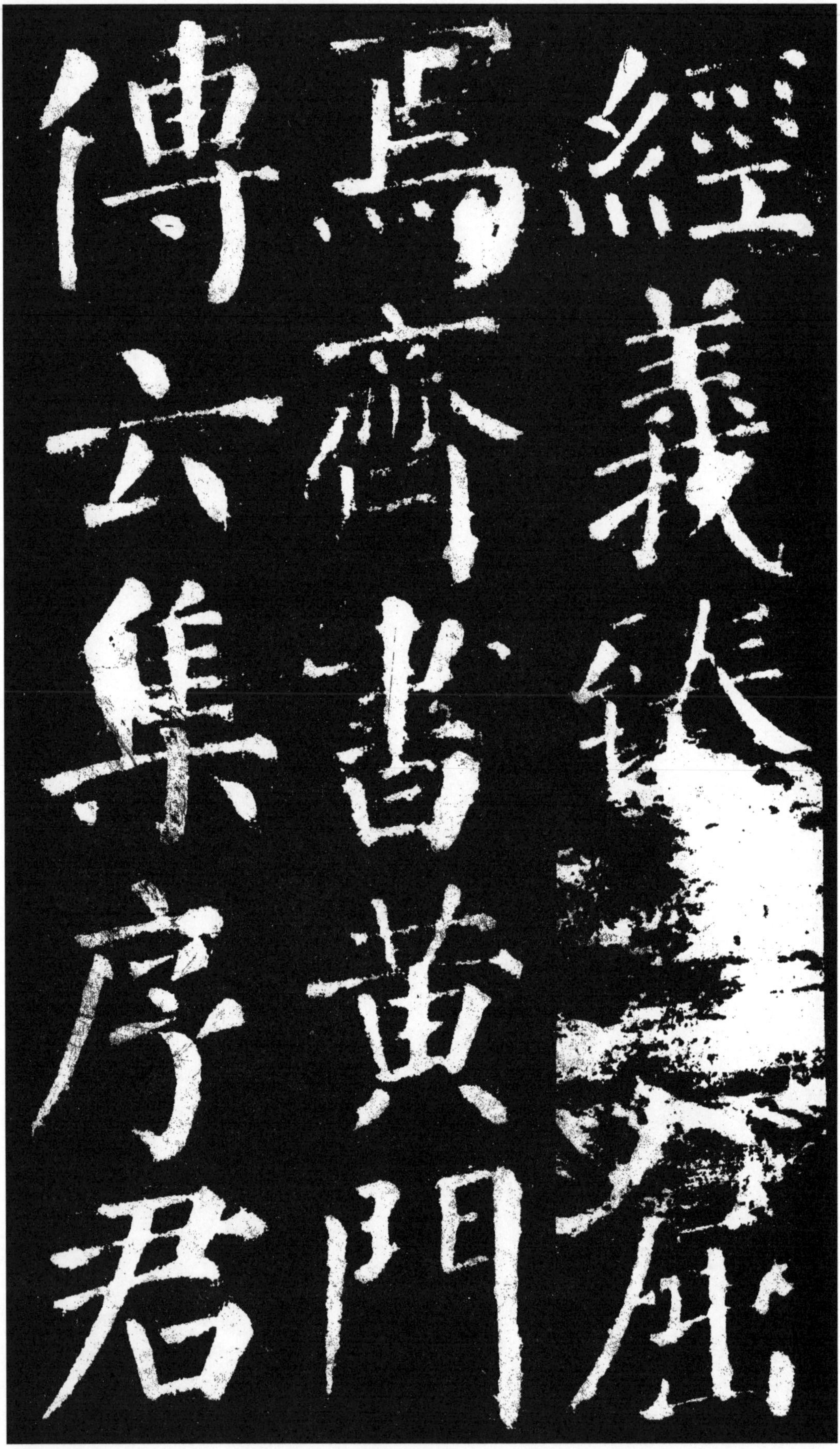

經義臻屢屈　焉齊書黃門　傳云集序君

自作後加踰　岷將軍　太宗爲秦王

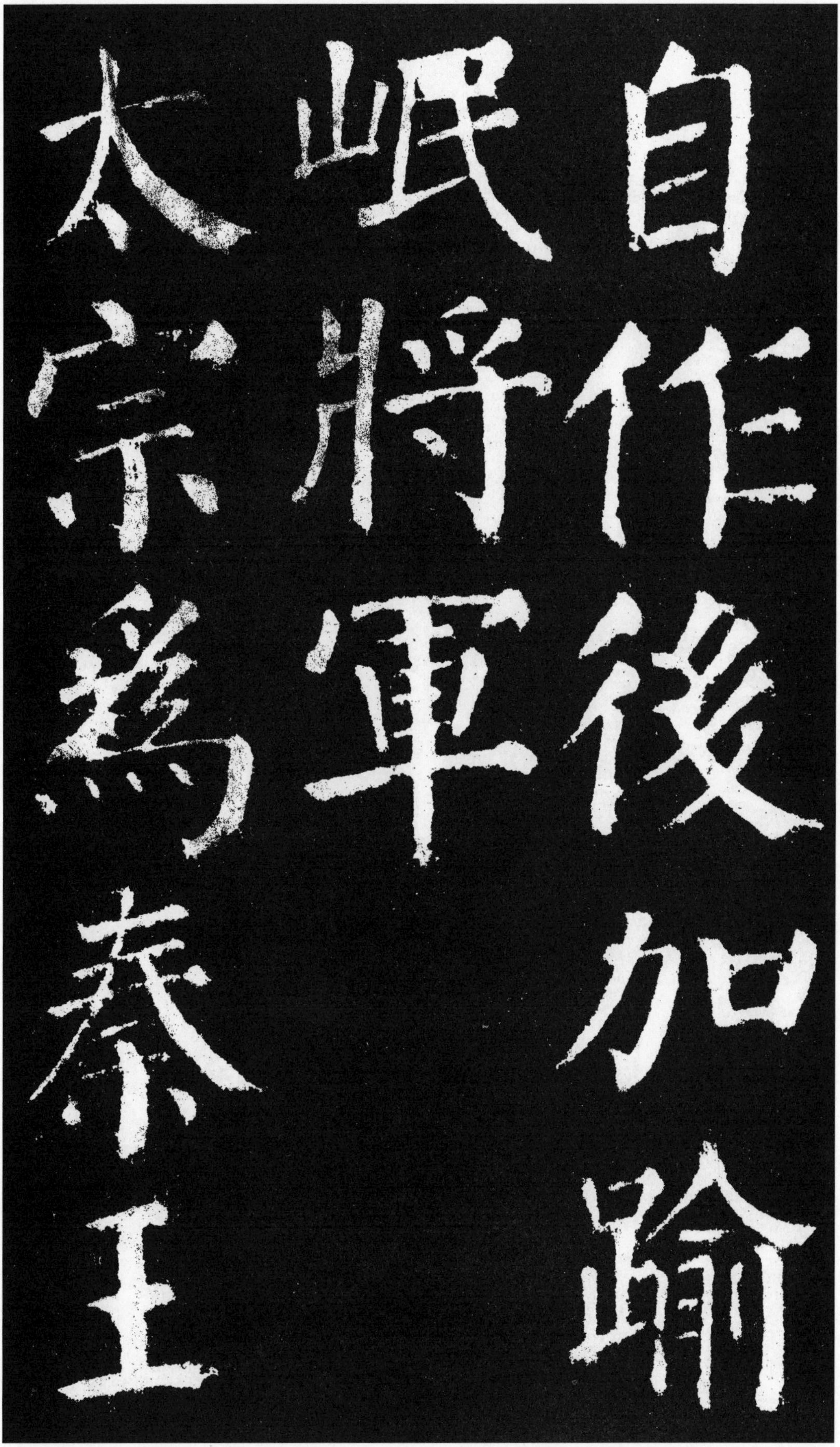

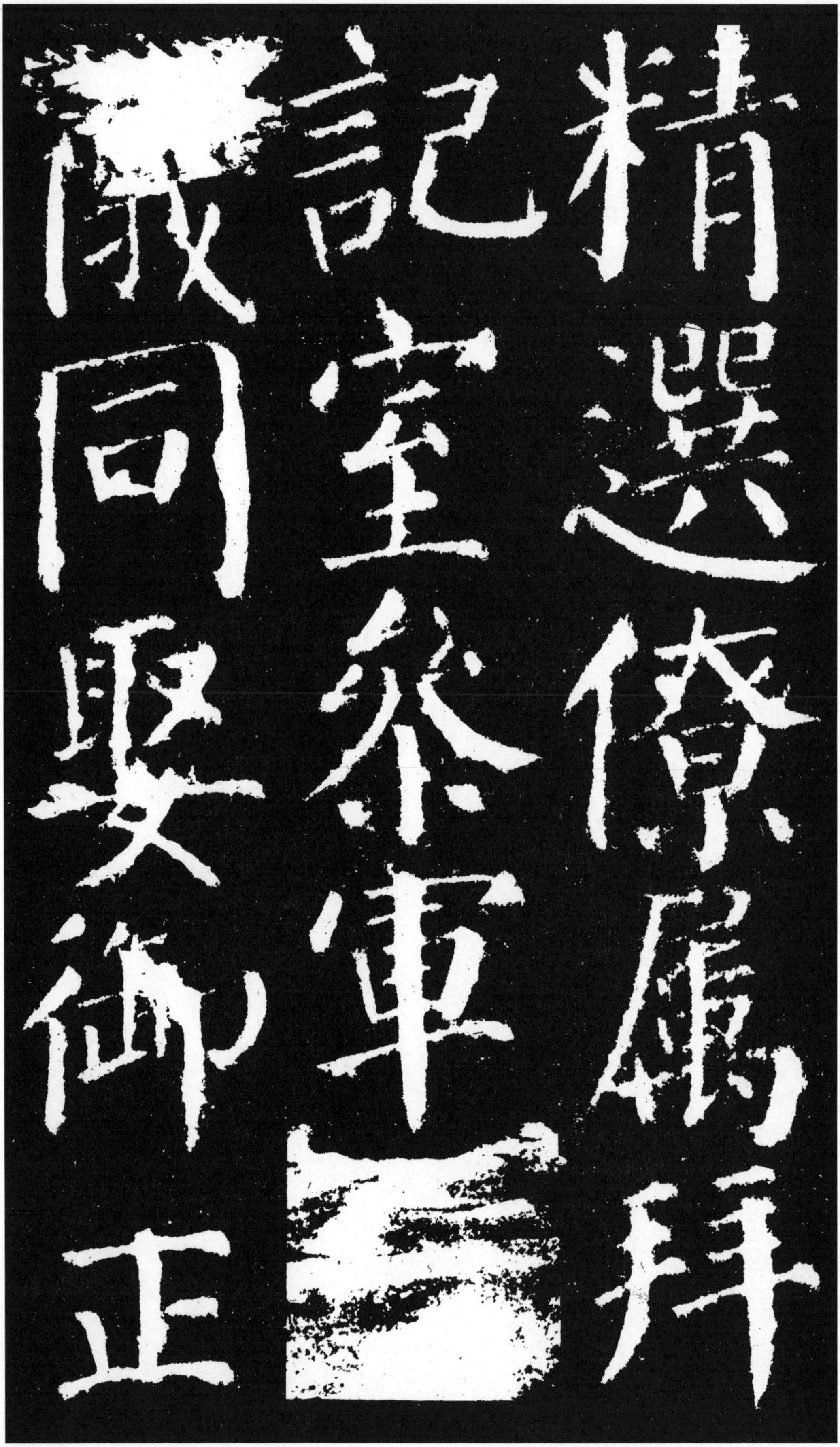

精選僚屬拜

記室参軍[加]

儀同娶御正

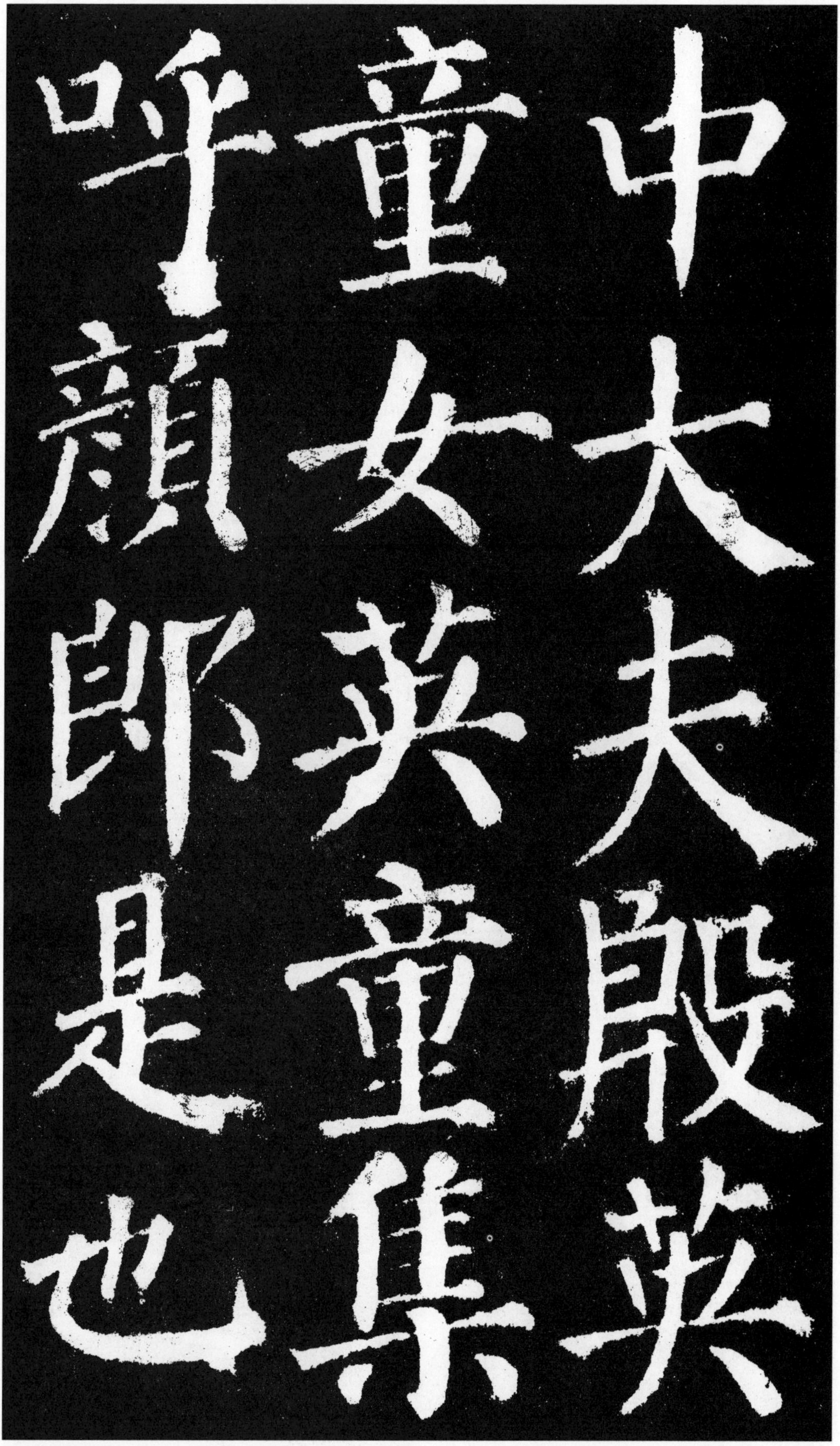

中大夫殷英　童女英童集　呼顏郎是也

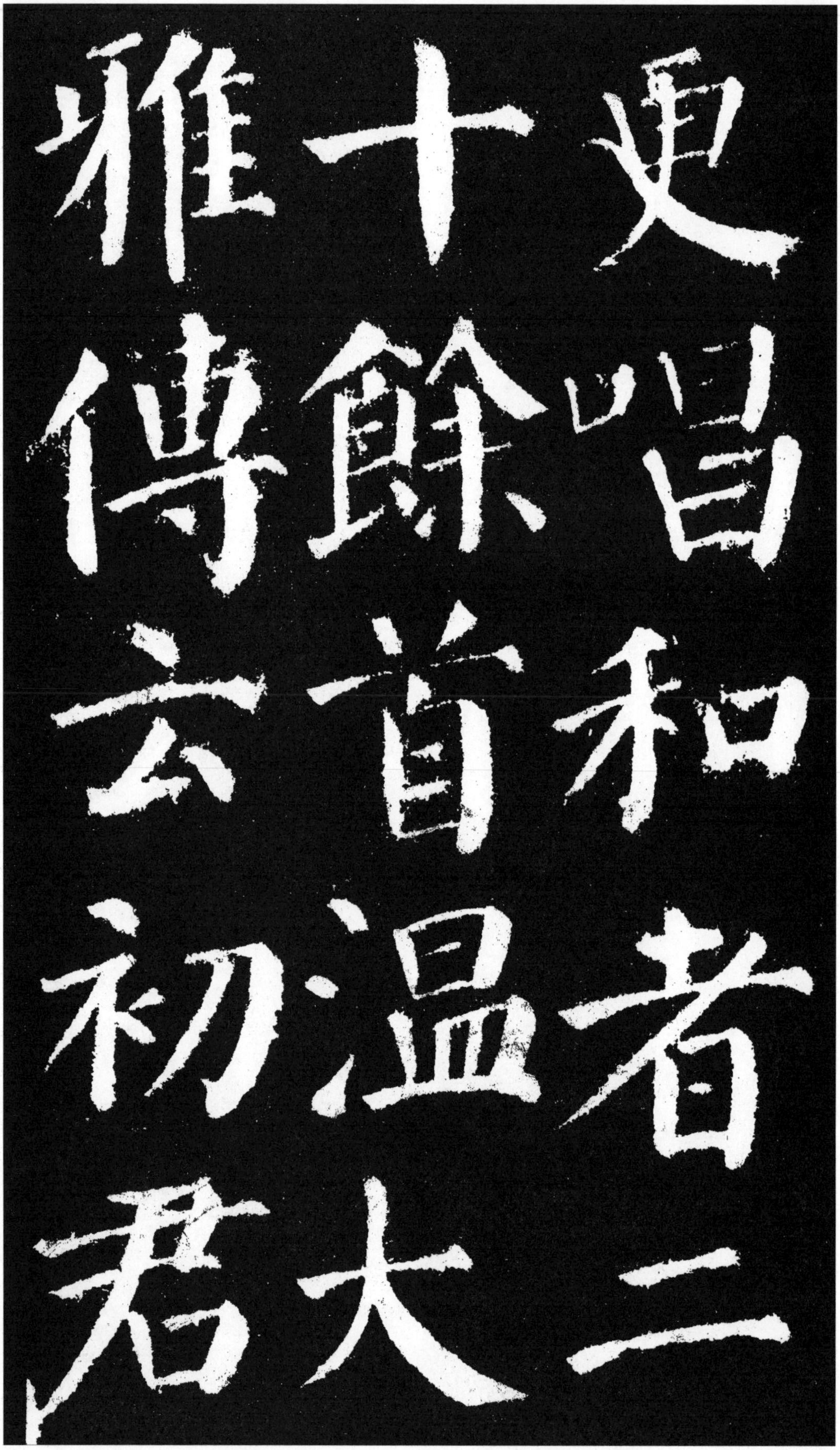

更唱和者二　十餘首温大　雅傳云初君

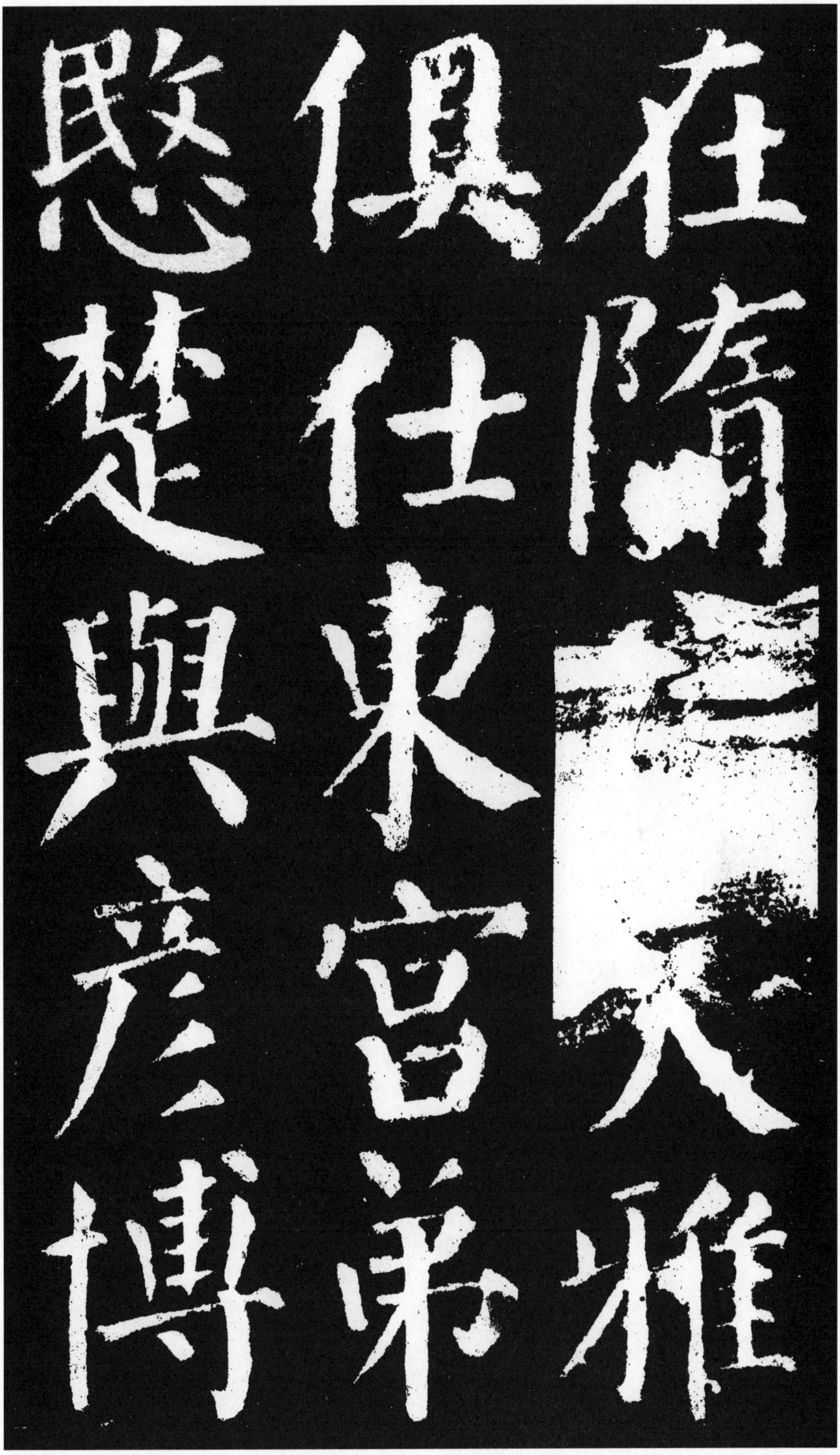

在隋與大雅　俱仕東宮弟　愍楚與彥博

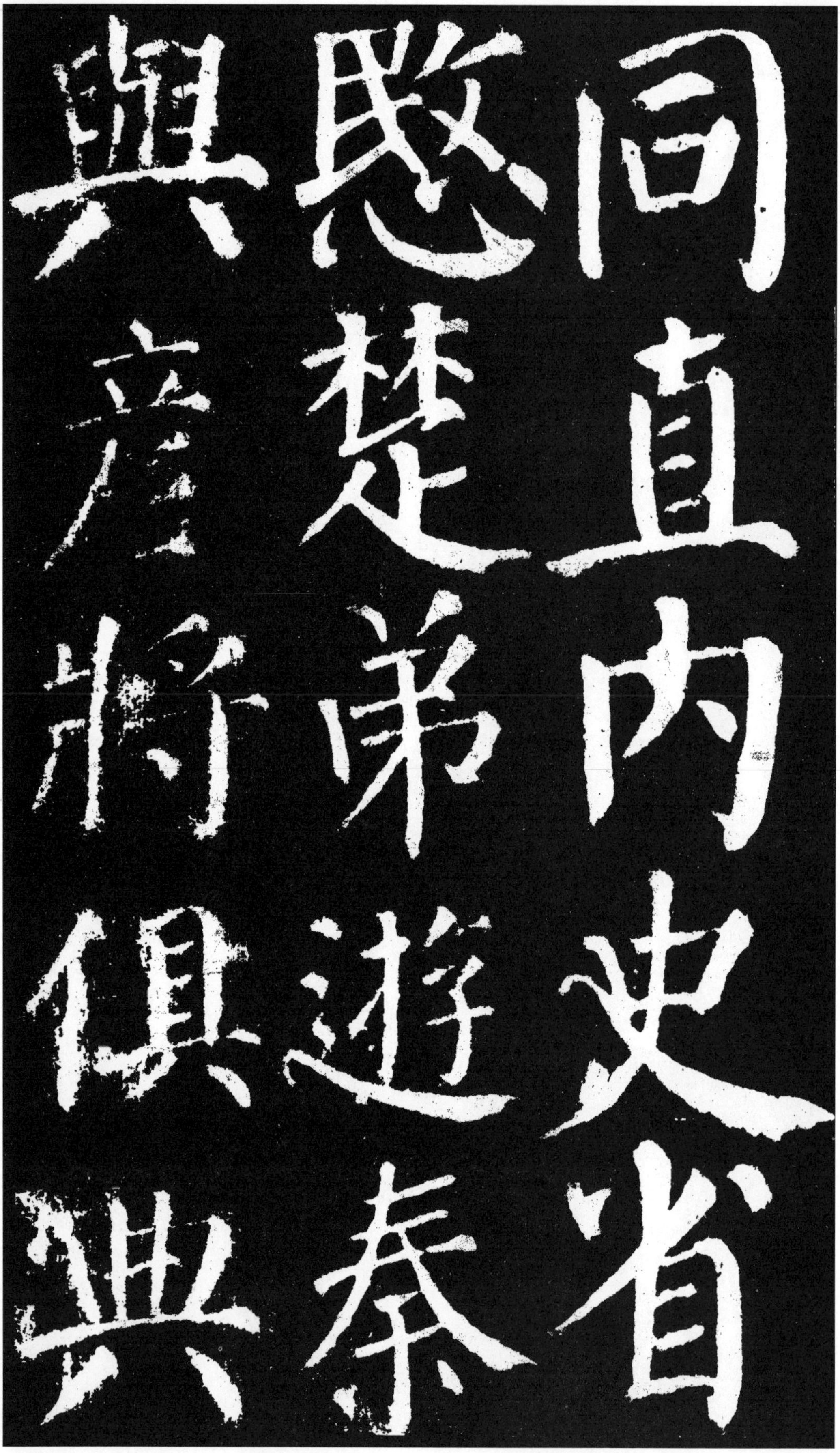

同直内史省　慜楚弟游秦　與彦將俱典

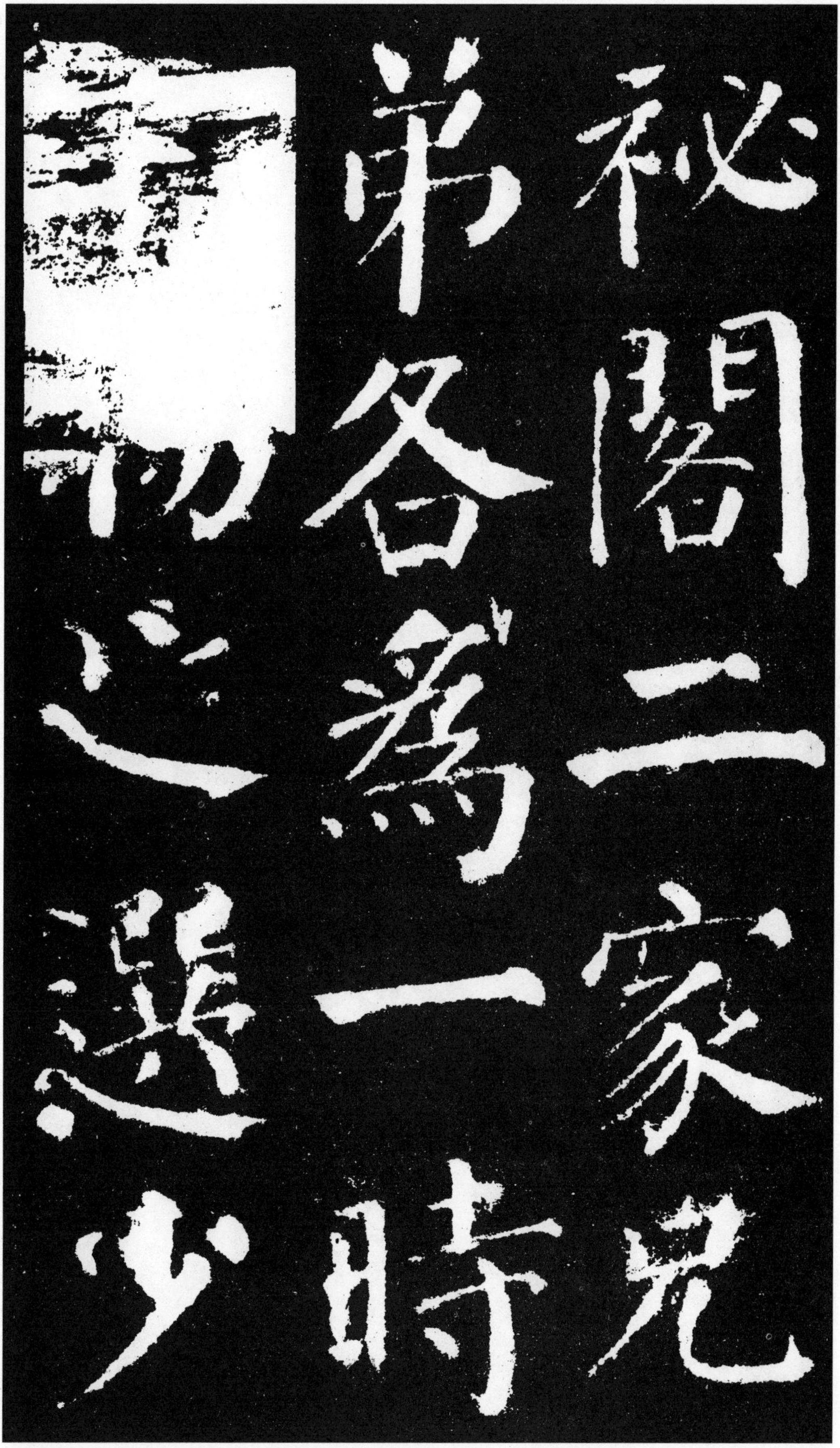

秘閣二家兄　弟各爲一時　人物之選少

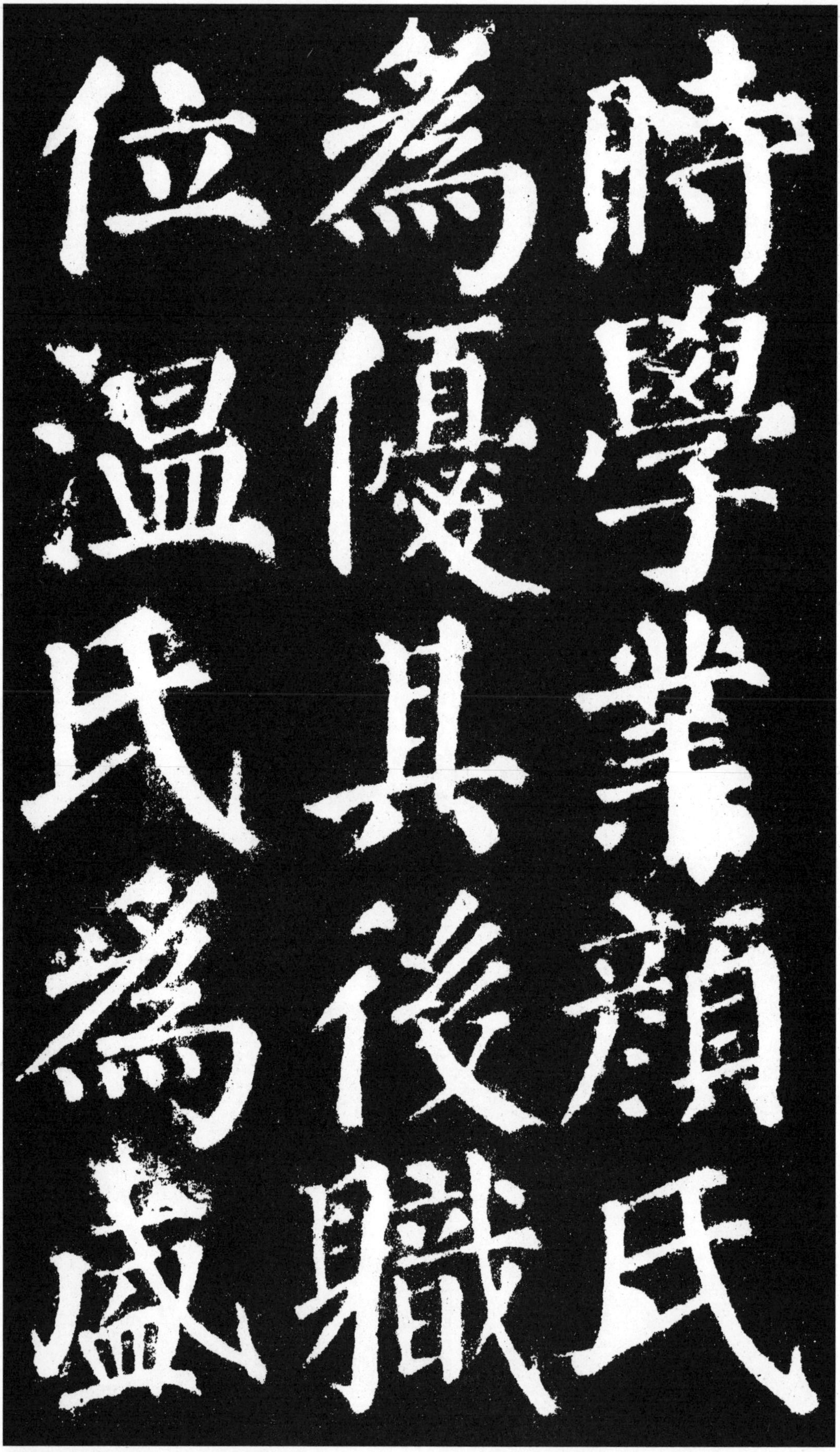

時學業顏氏　爲優其後職　位温氏爲盛

事具唐史君　幼而朗晤識　量弘遠工於

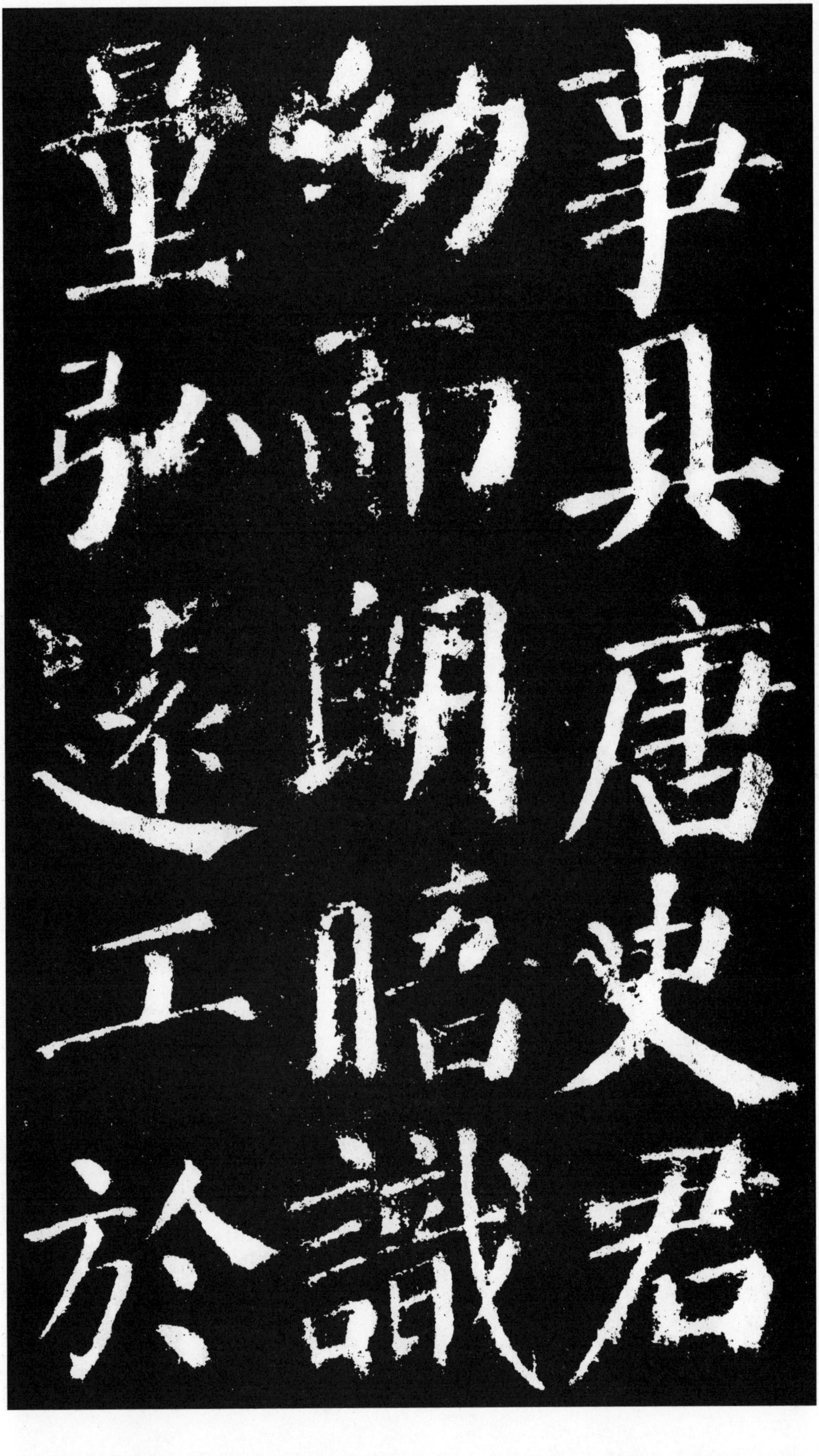

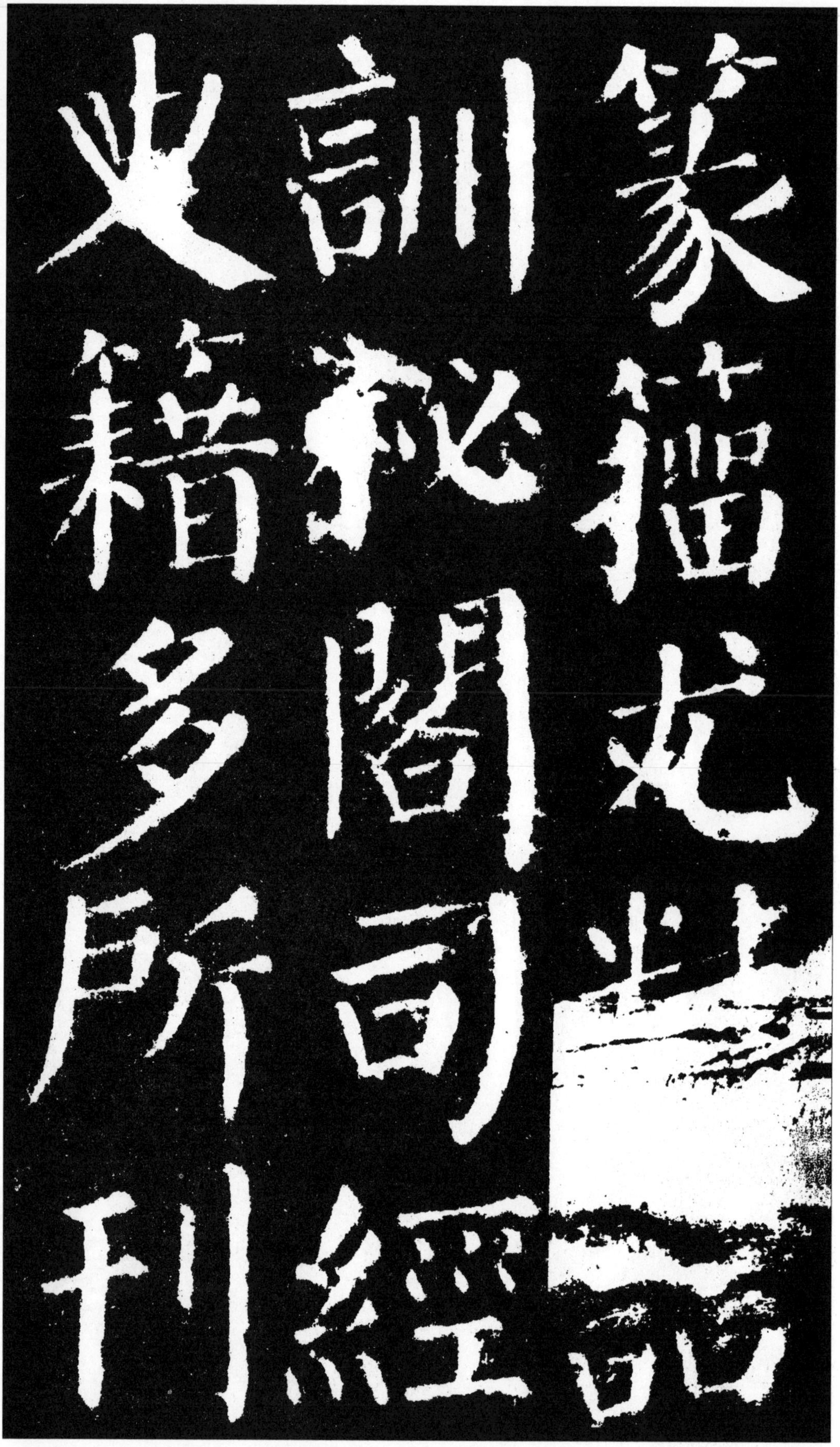

篆籀尤精詁　訓秘閣司經　史籍多所刊

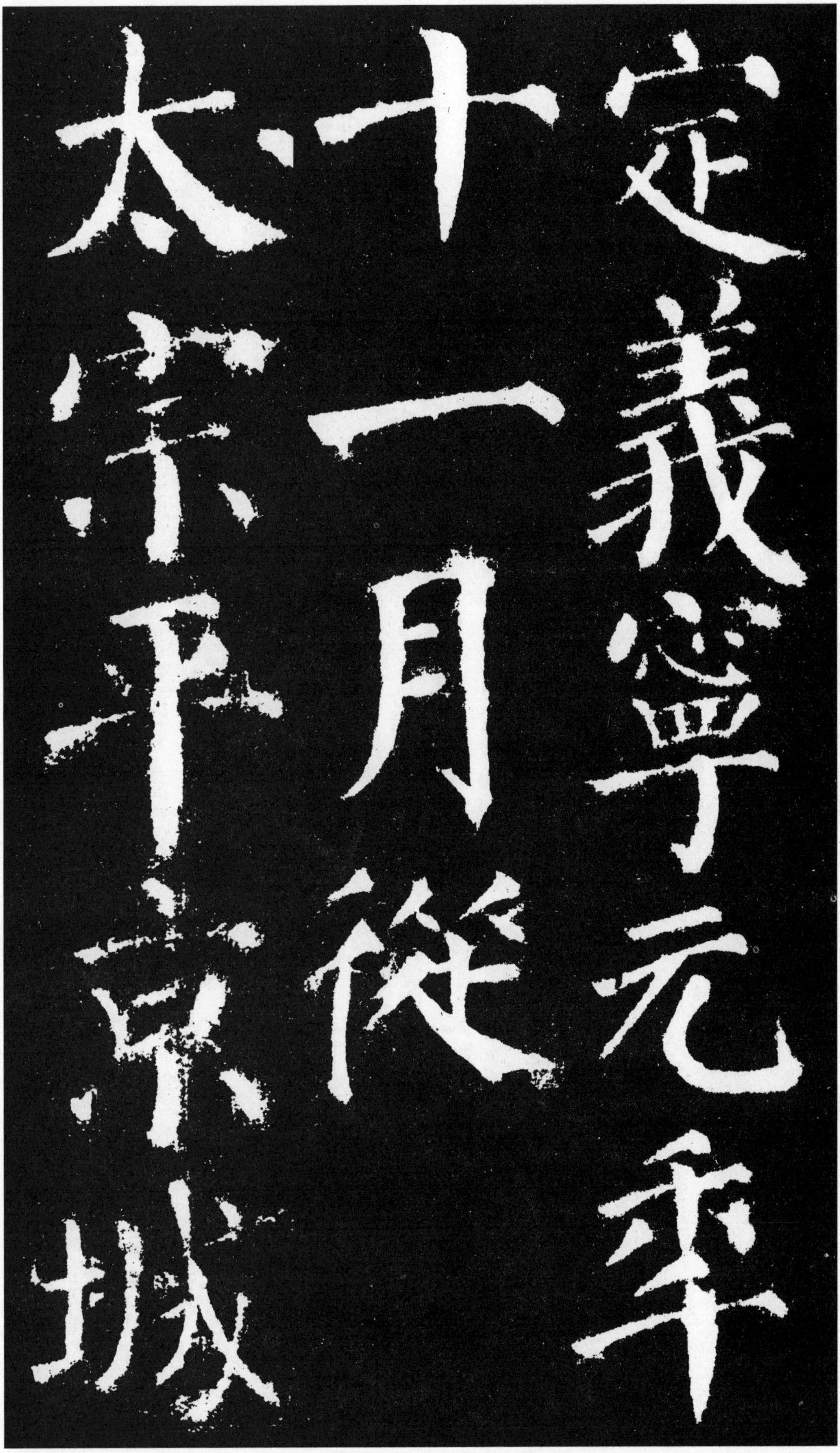

定義寧元年　十一月從　太宗平京城

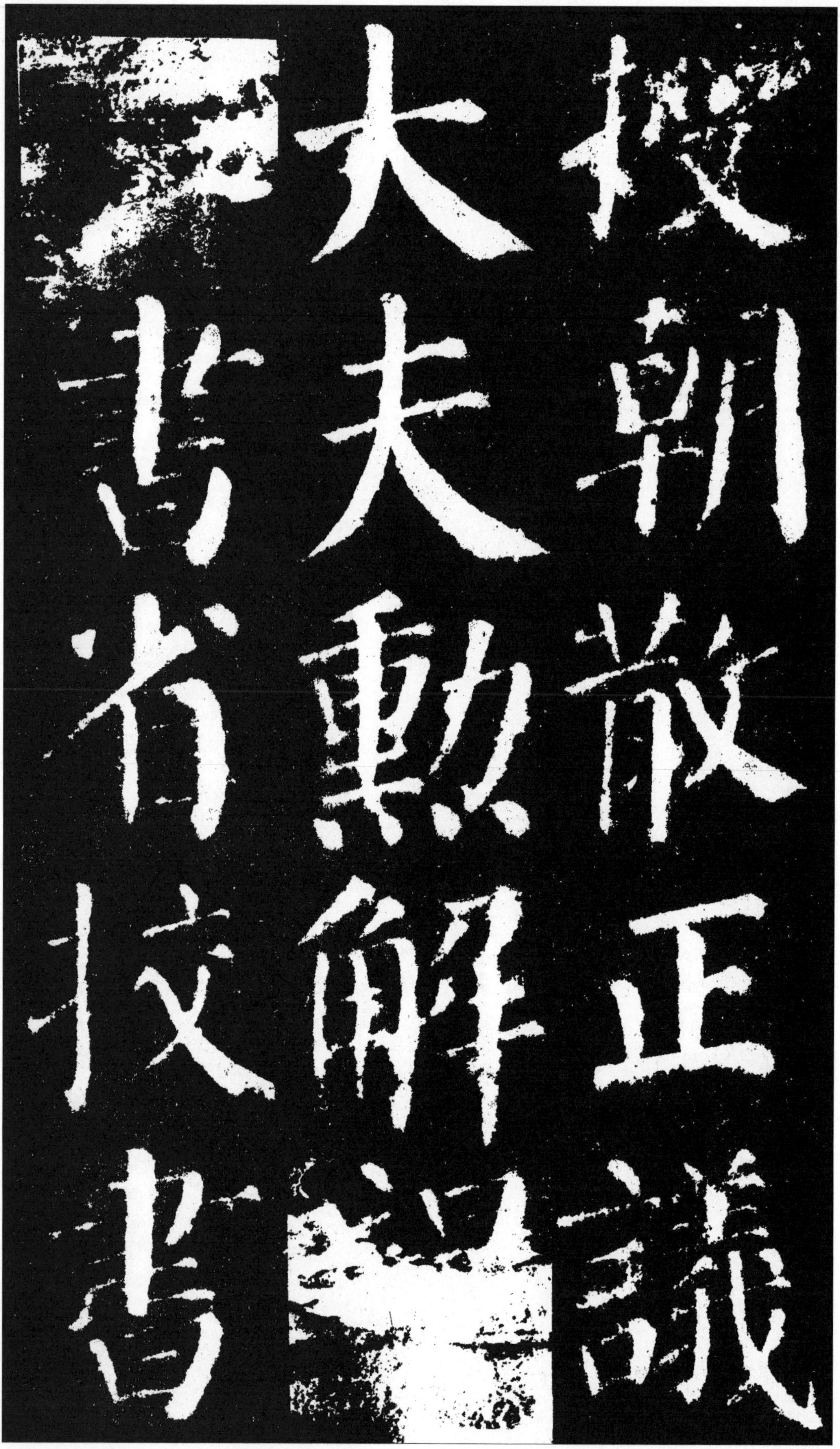

授朝散正議　大夫勳解褐　秘書省校書

郎武德中授　右領左右府　鎧曹參軍九

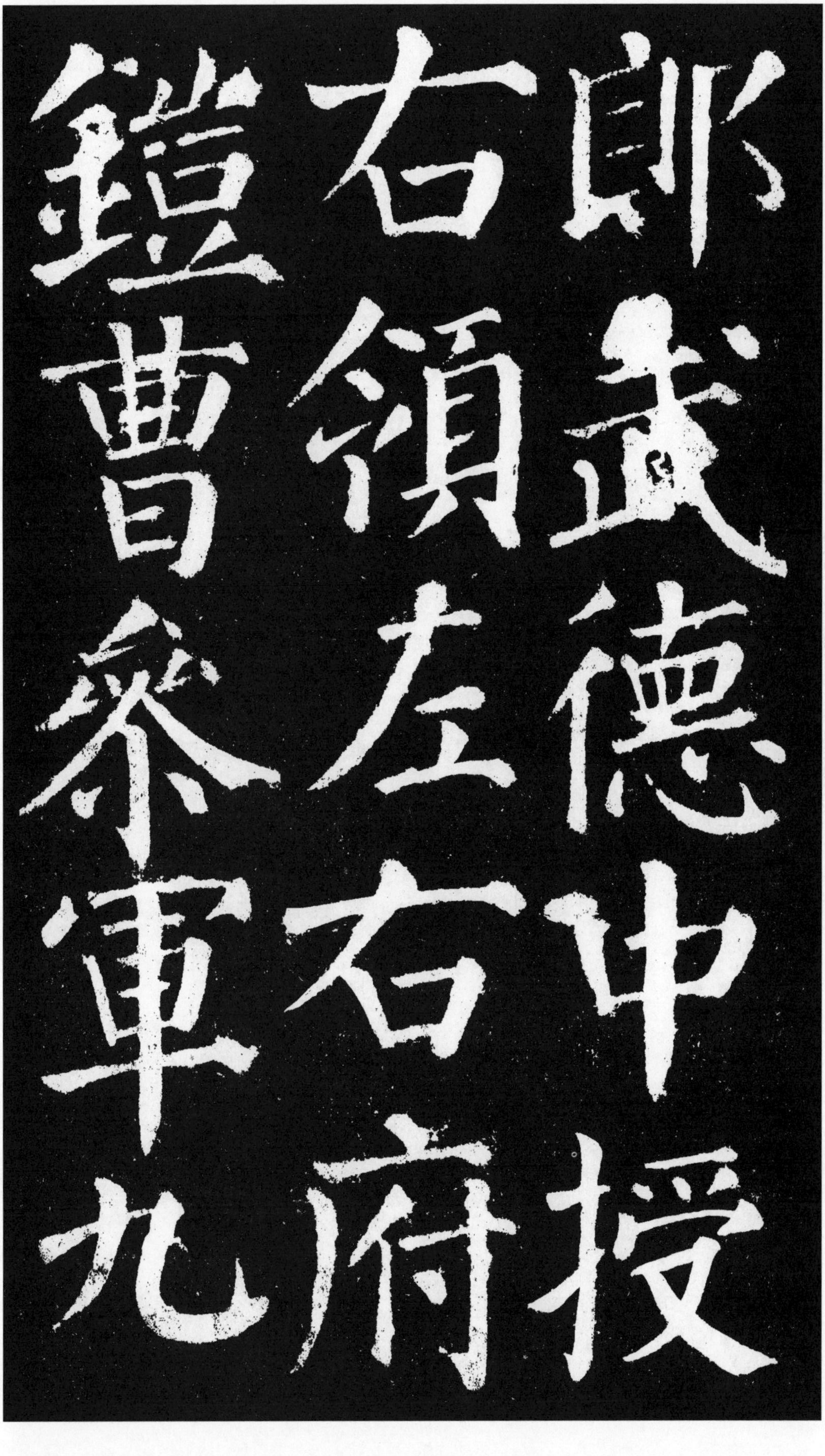

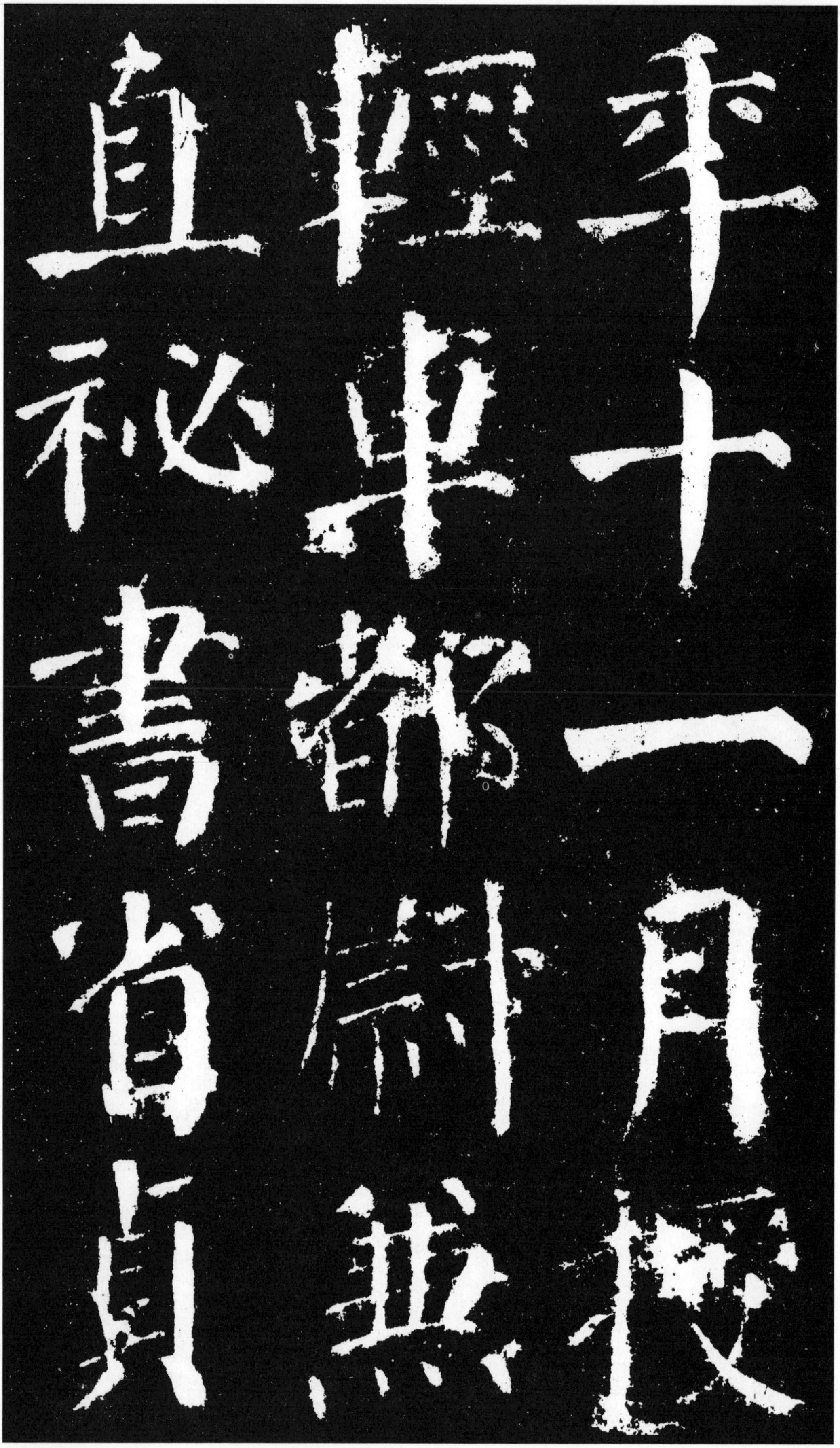

年十一月授

輕車都尉兼

直秘書省貞

觀三年六月　兼行雍州參　軍事六年七

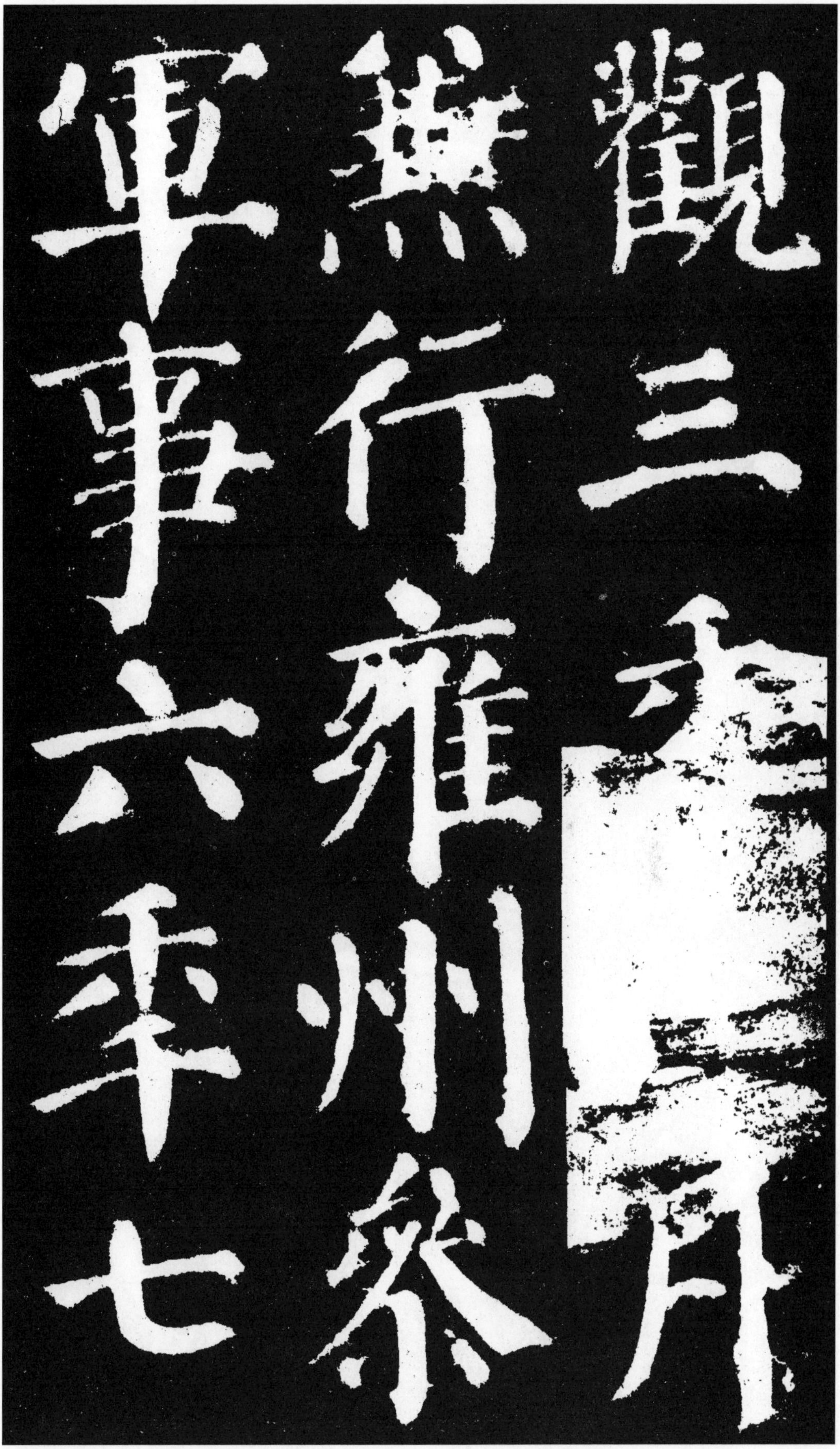

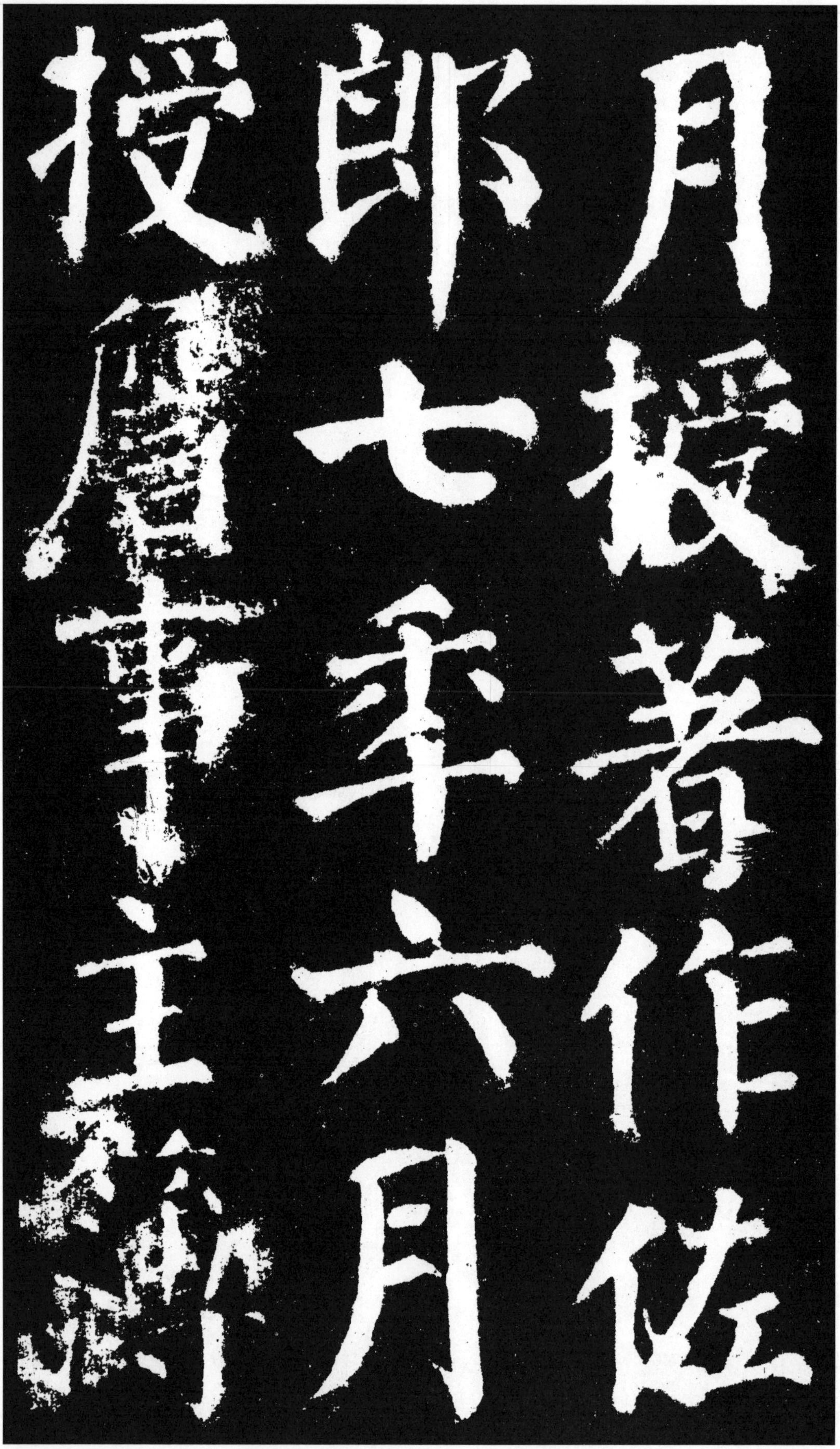

月授著作佐　郎七年六月　授詹事主簿

轉太子內直　監加崇賢館　學[士]宮廢出

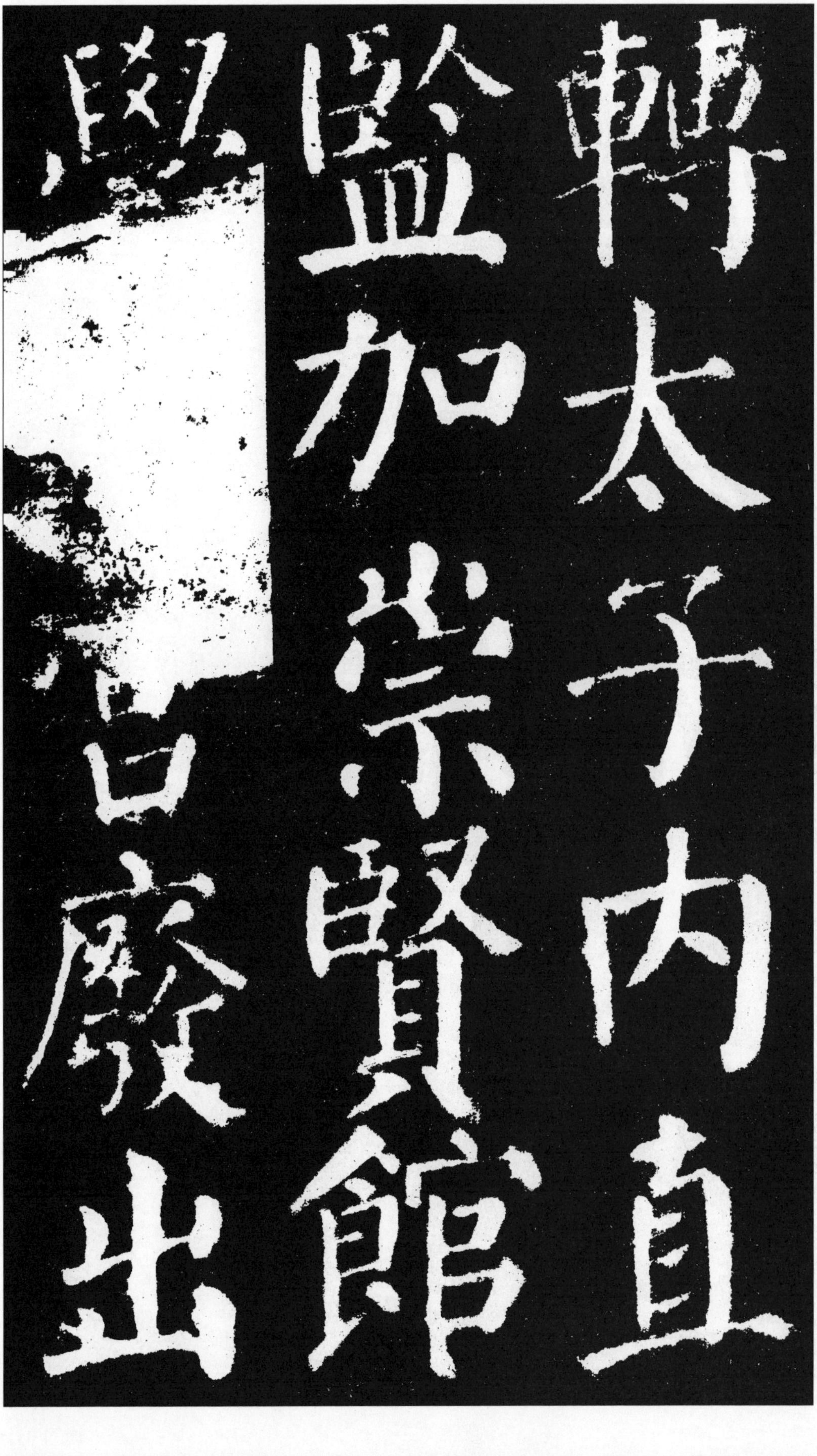

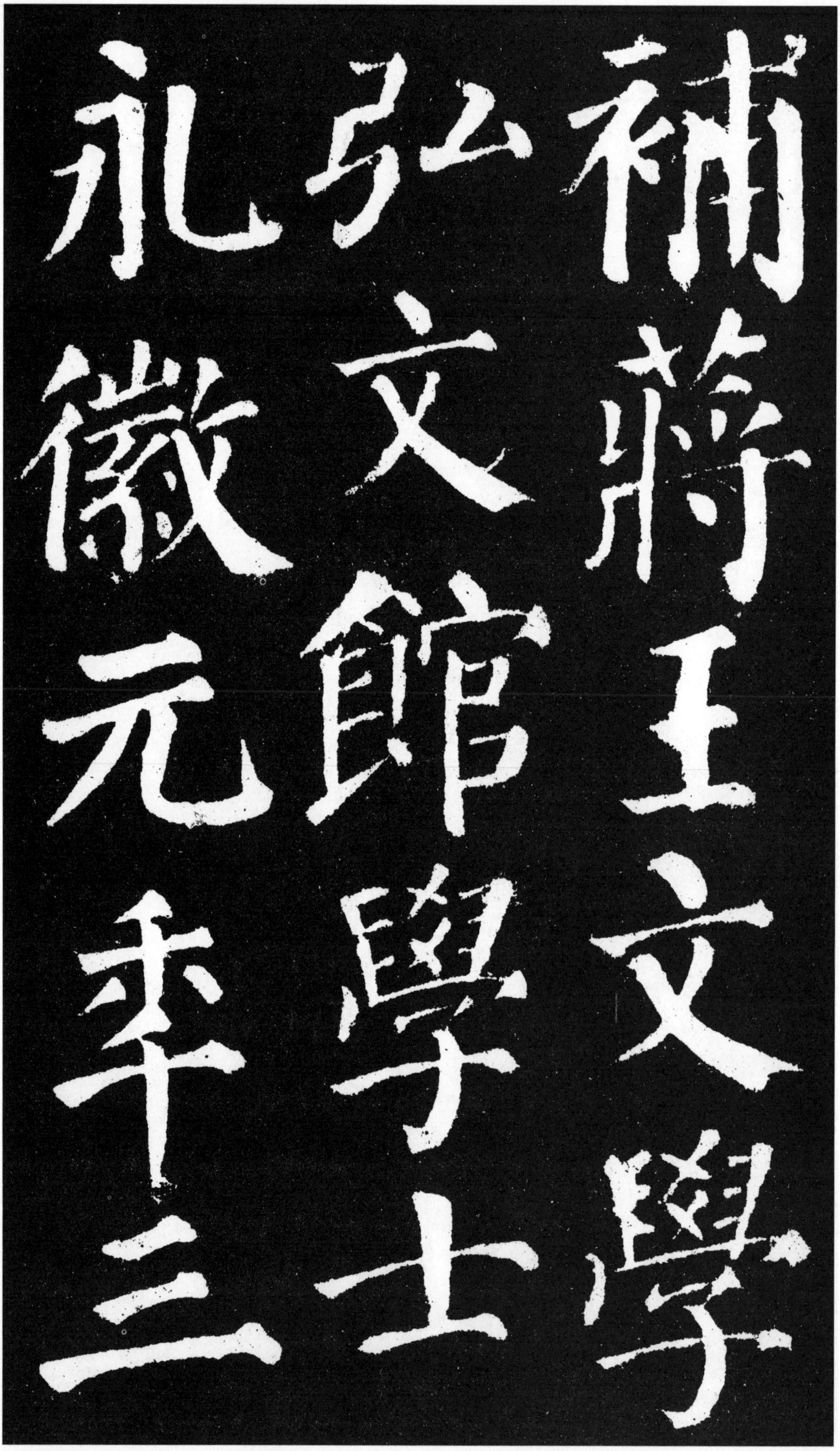

補蔣王文學　弘文館學士　永徽元年三

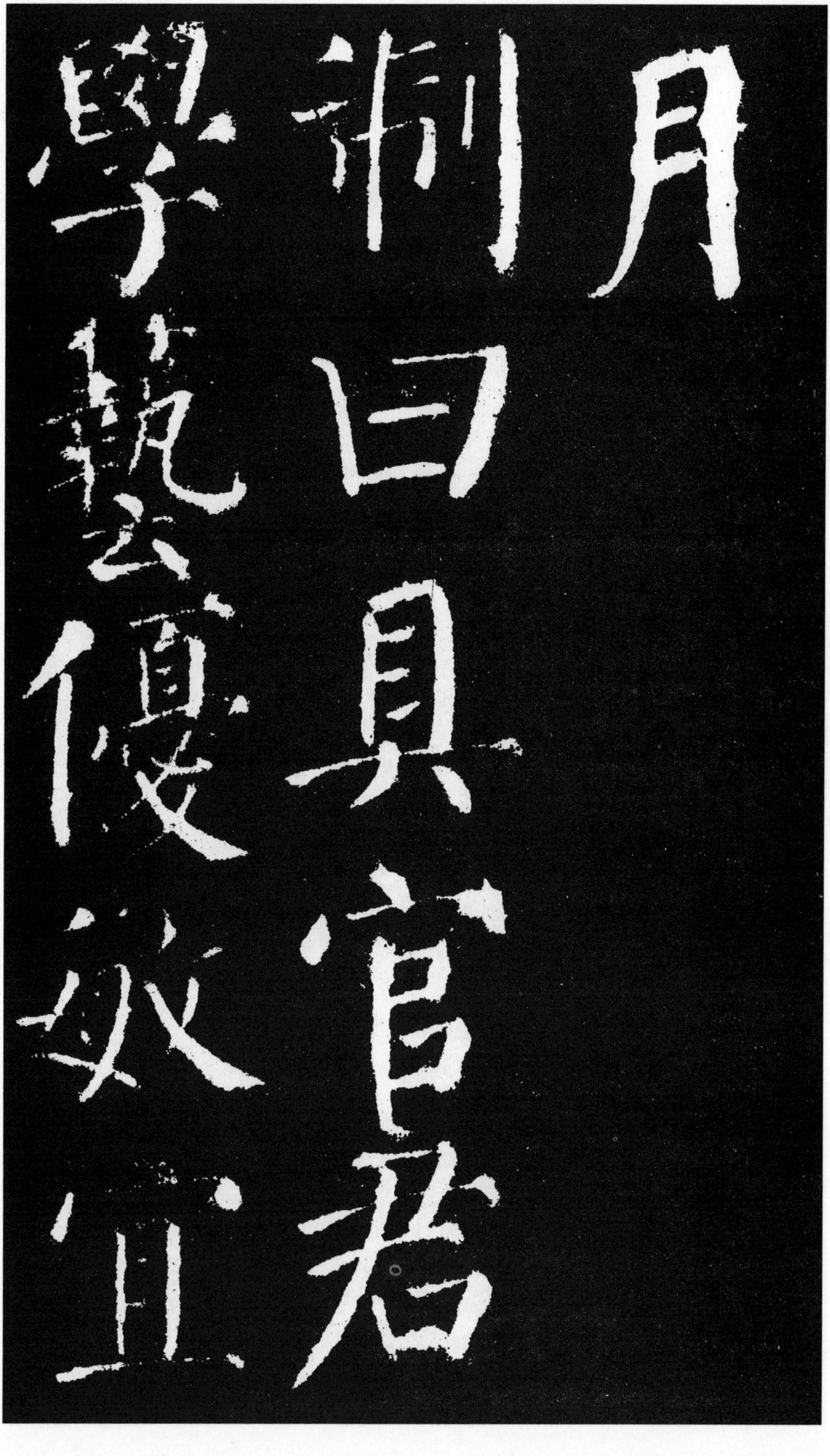

月　制曰具官君　學藝優敏宜

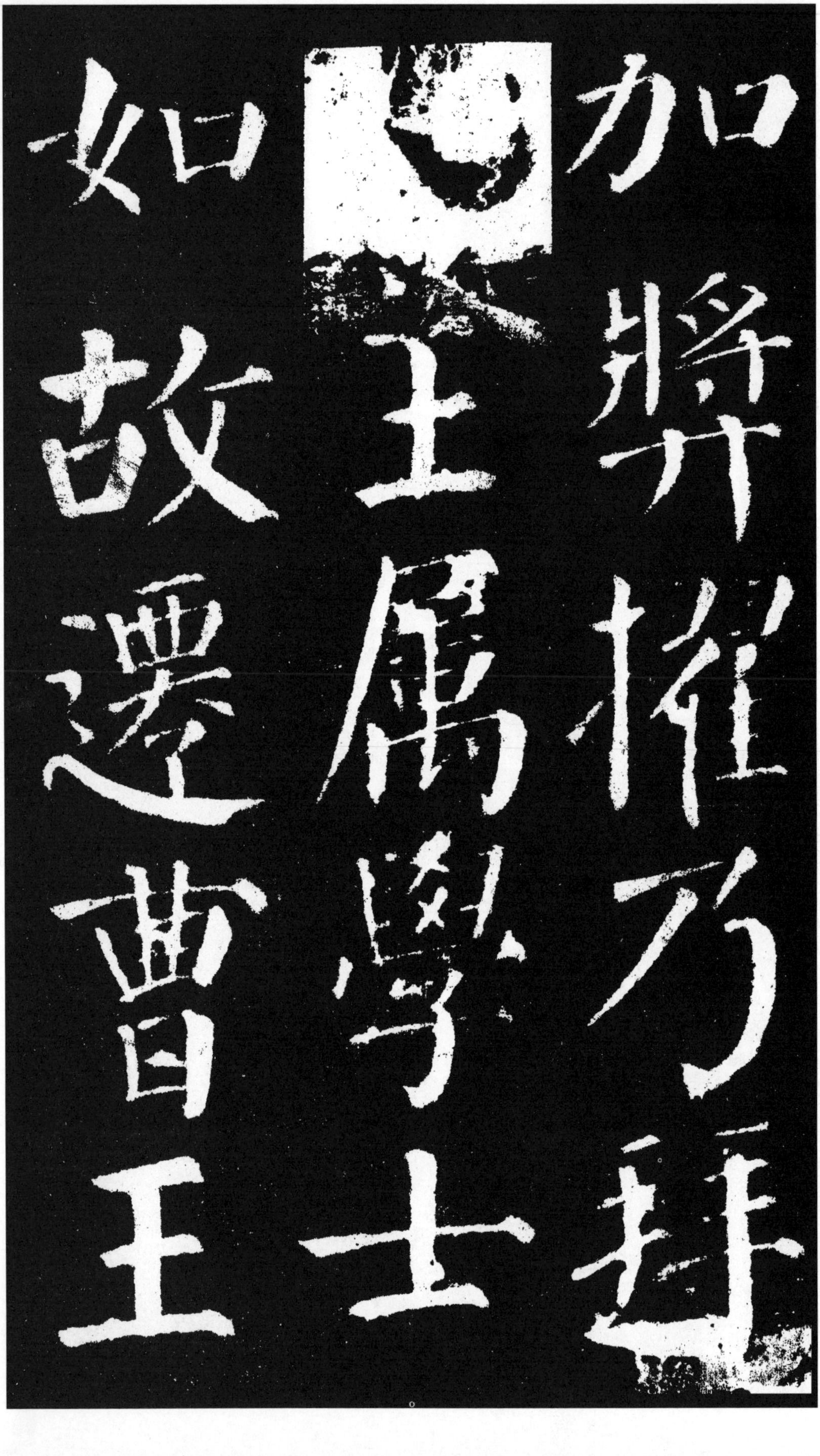
加獎擢乃拜
王屬學士
如故遷曹王

加獎擢乃拜 陳王屬學士 如故遷曹王

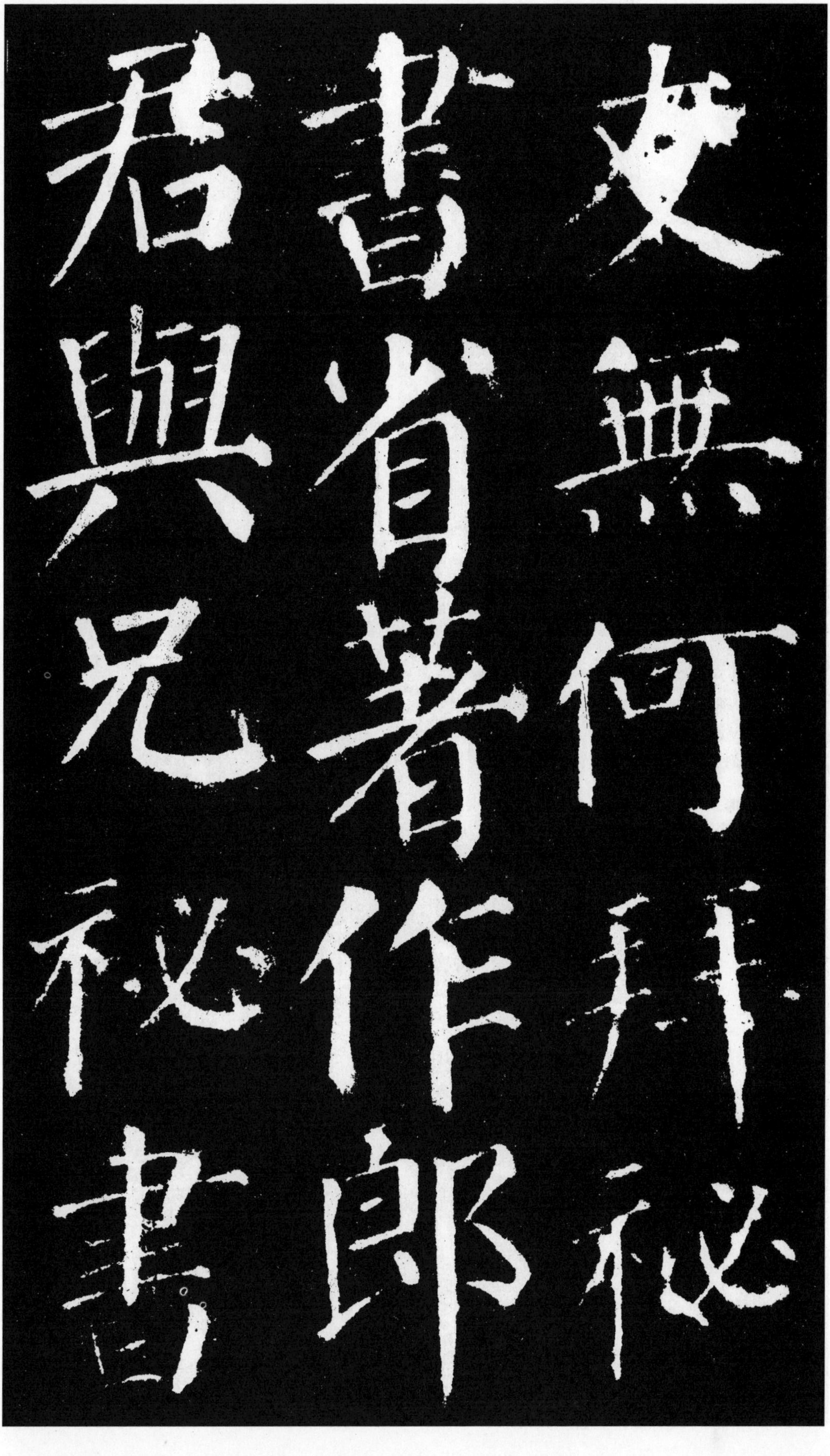

友無何拜秘　書省著作郎　君與兄秘書

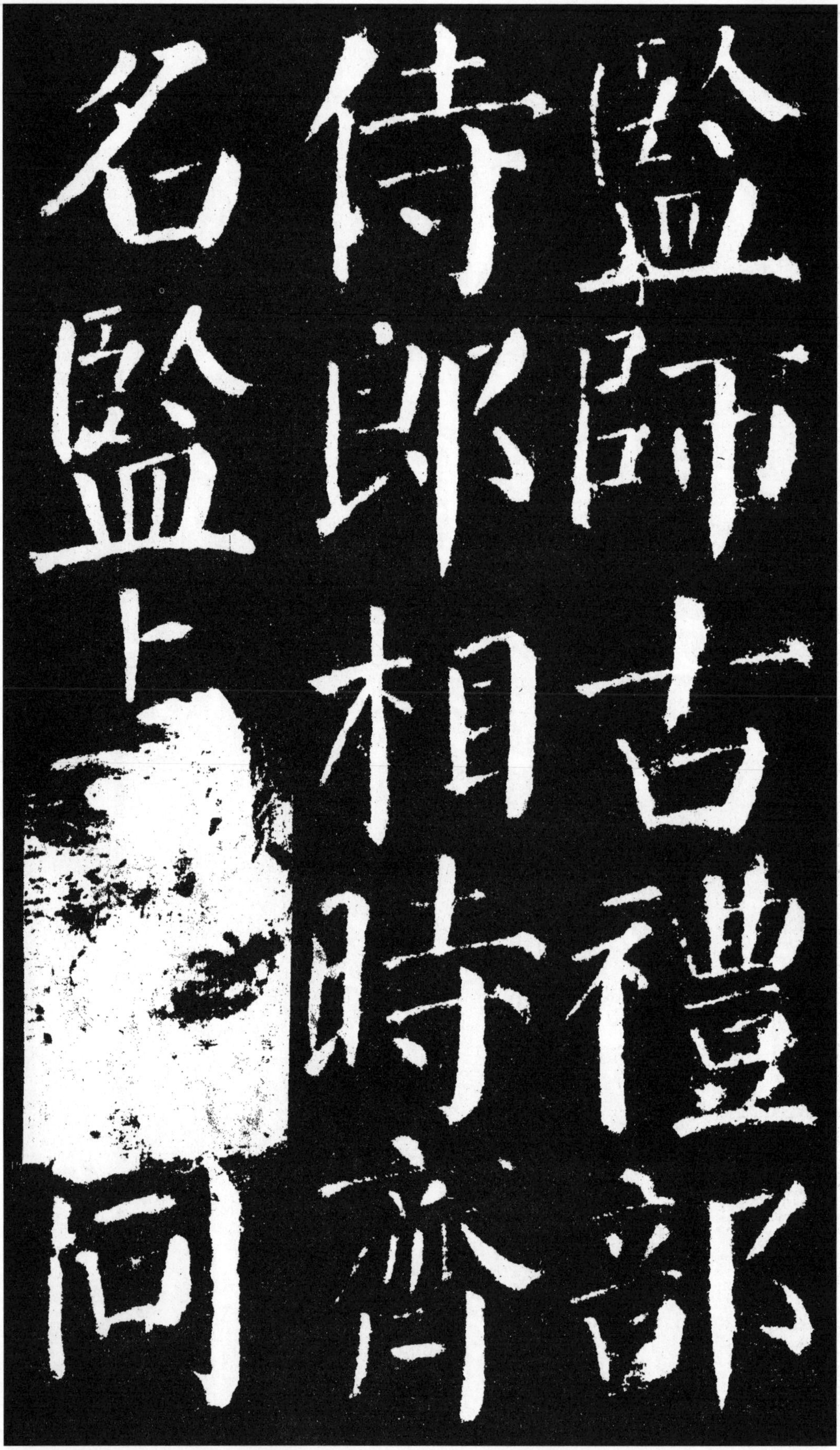

監師古禮部　侍郎相時齊　名監[与][君]同

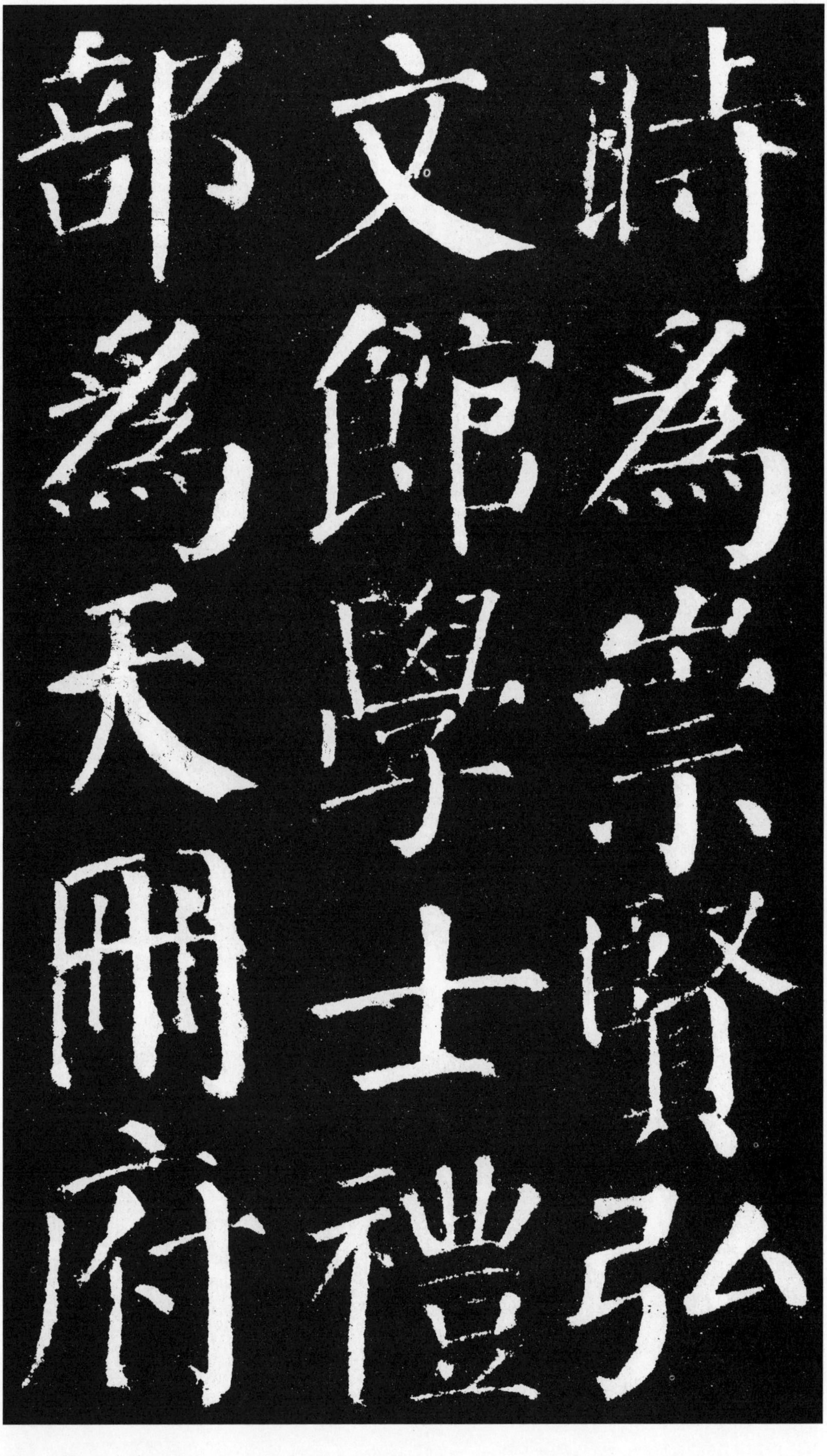

時爲崇賢弘　文館學士禮　部爲天冊府

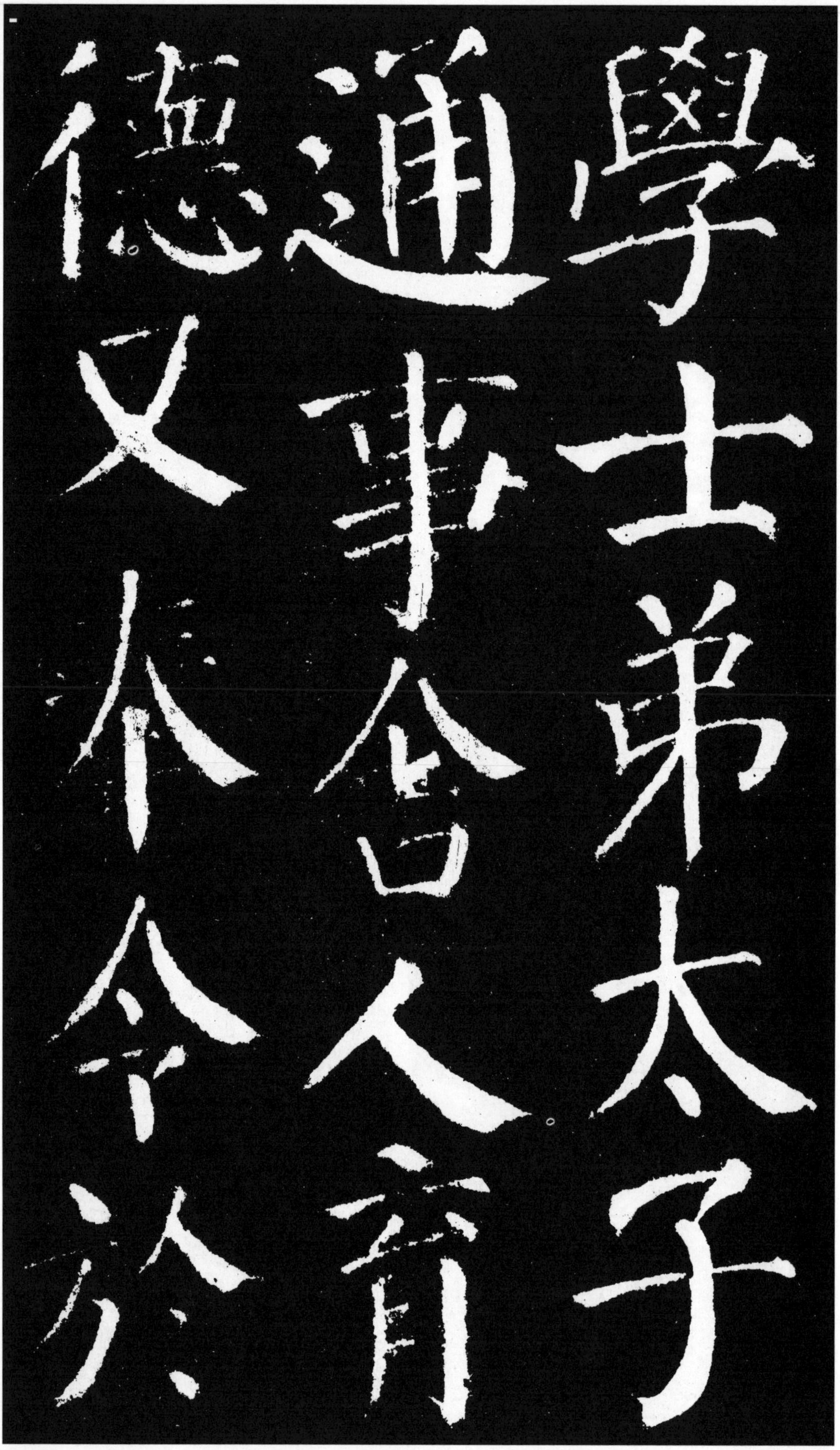

學士弟太子　通事舍人育　德又奉令於

司經局校定 經史 太宗嘗圖畫

崇賢諸學士　命監爲讀以　君與監兄弟

不宜相褒述　乃命中書舍　人蕭鈞特贊

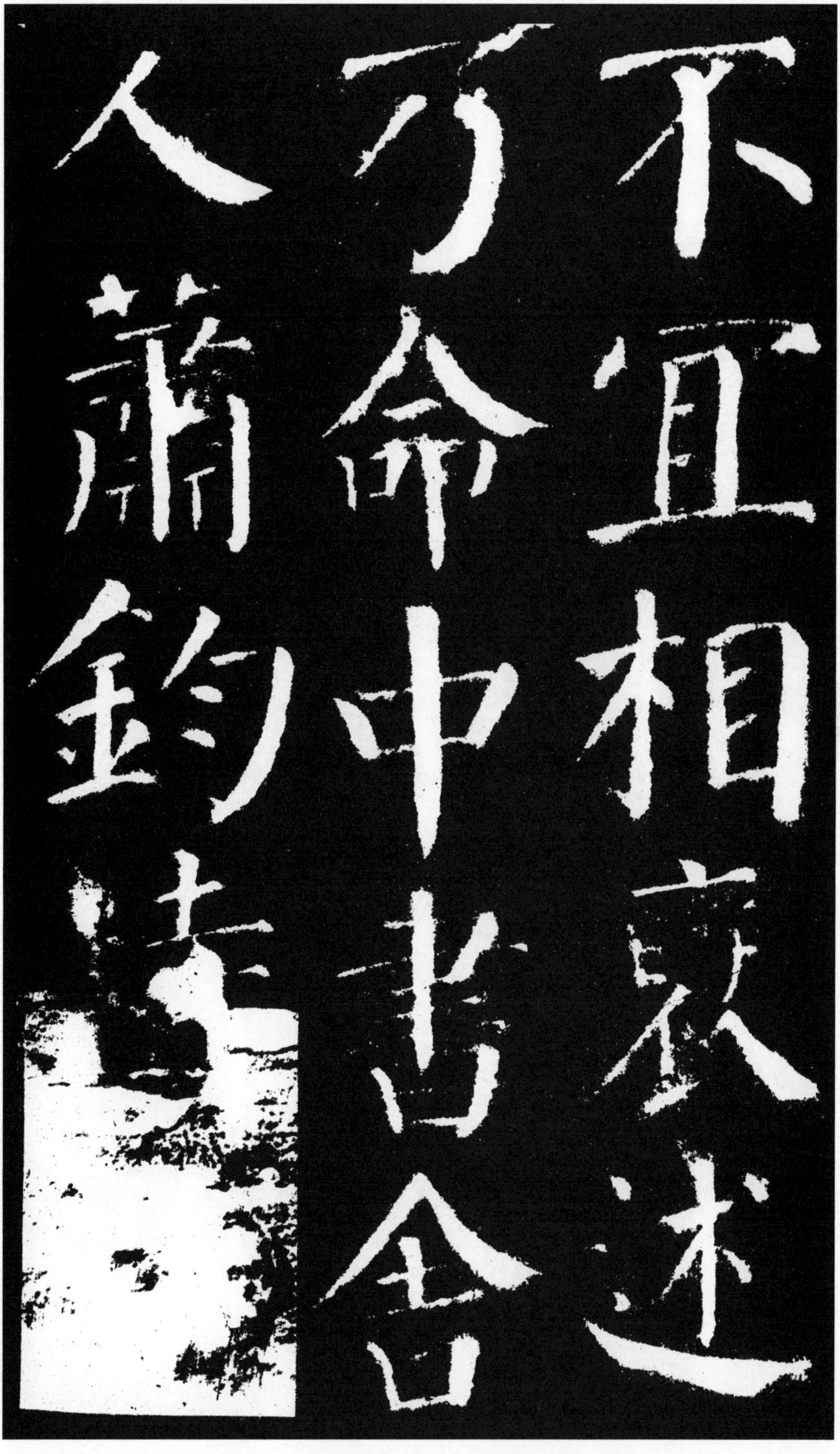

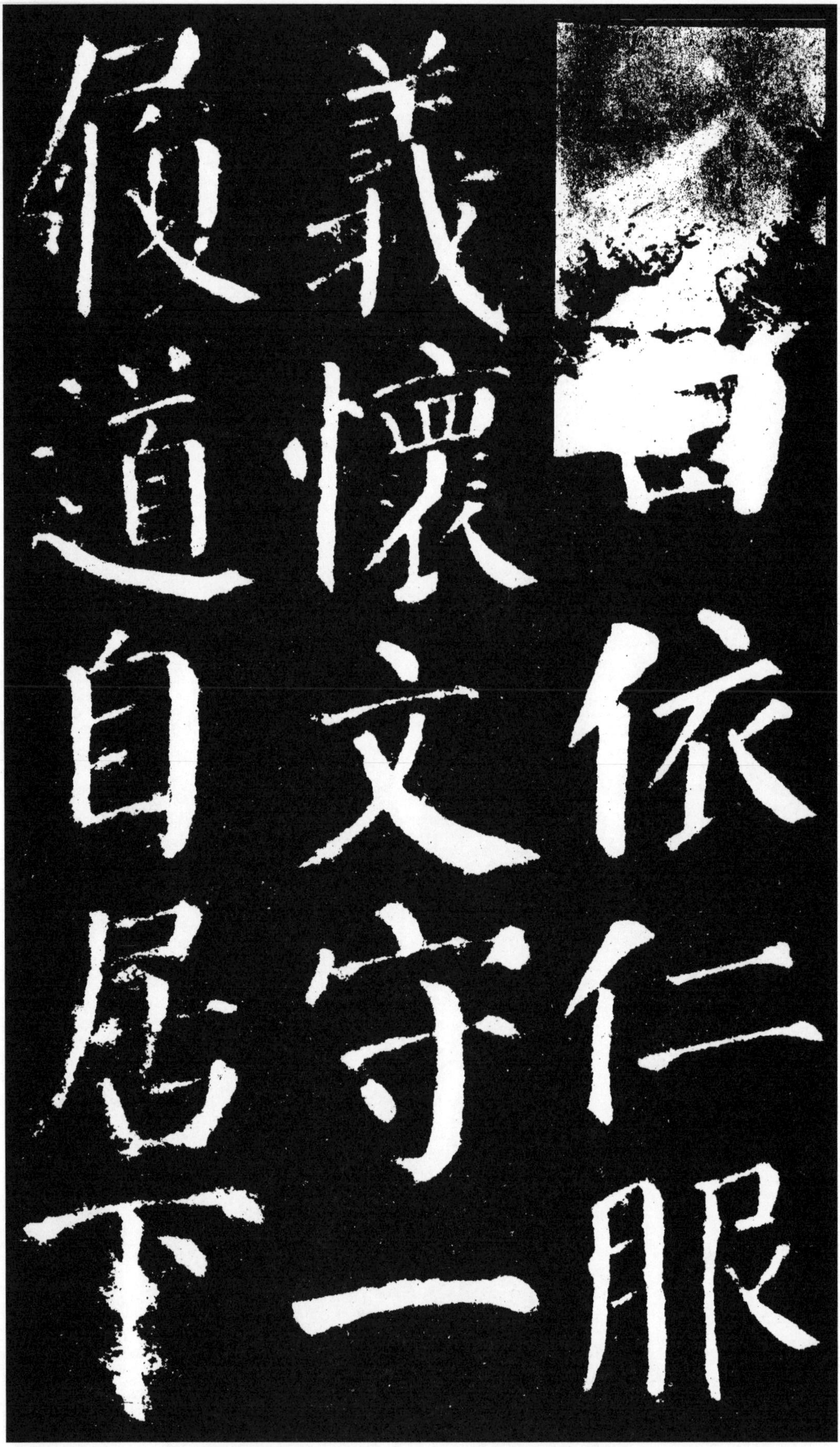

君曰依仁服　義懷文守一　履道自居下

惟終日德彰　素里行成蘭　室鶴籥馳譽

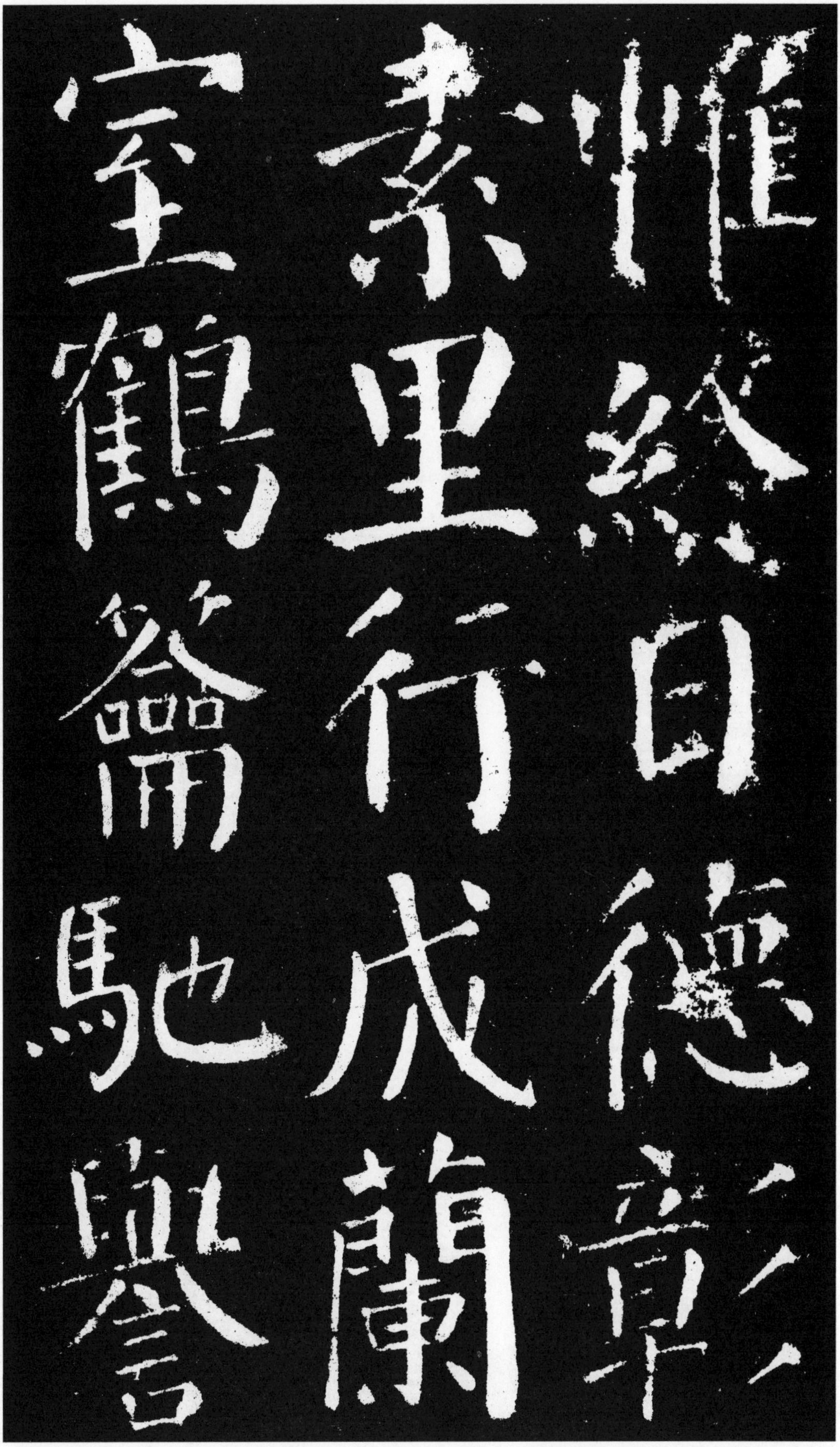
惟終日德彰
素里行成蘭
室鶴籥馳譽

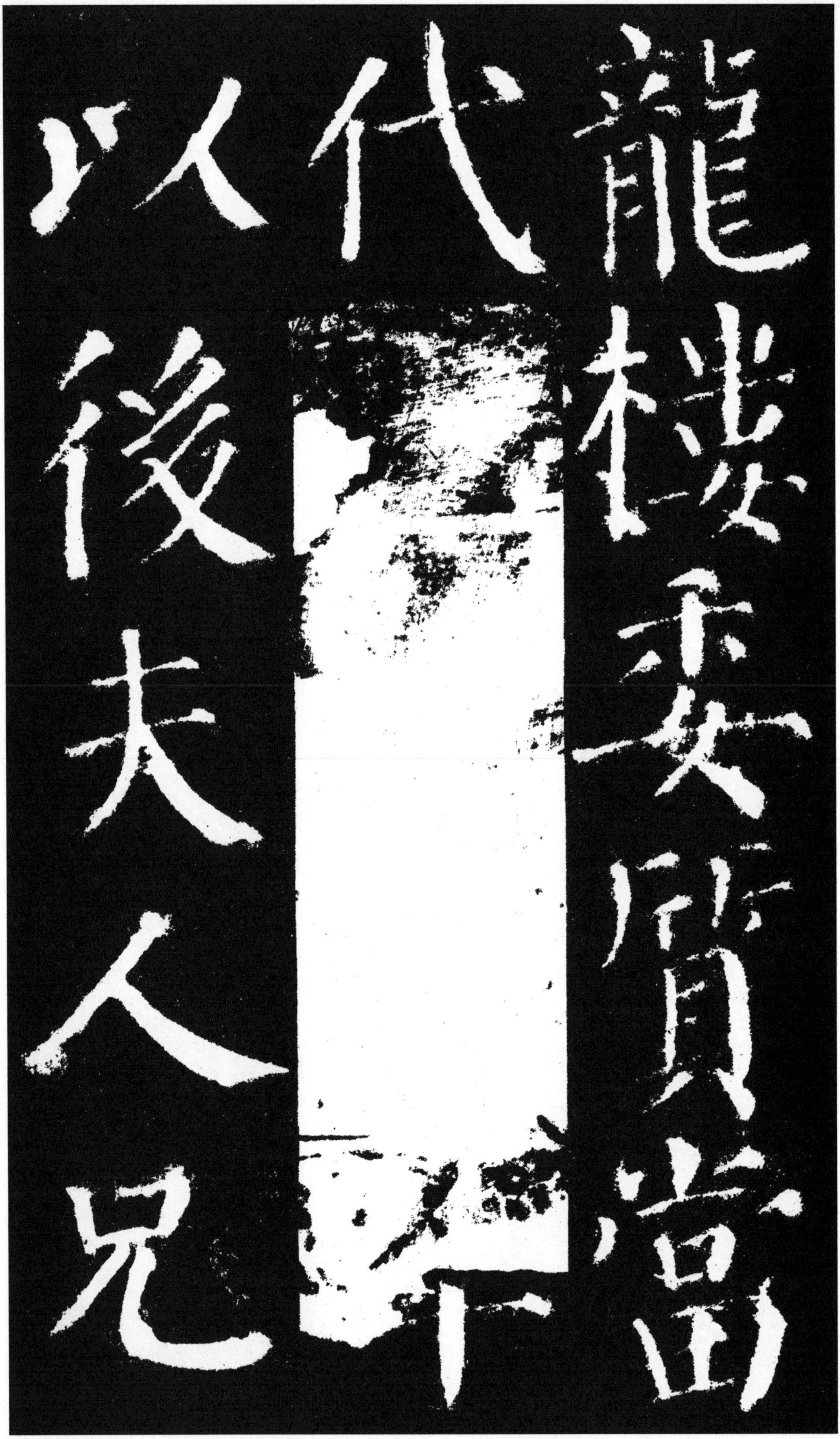

龍樓委質當 代榮之六年 以後夫人兄

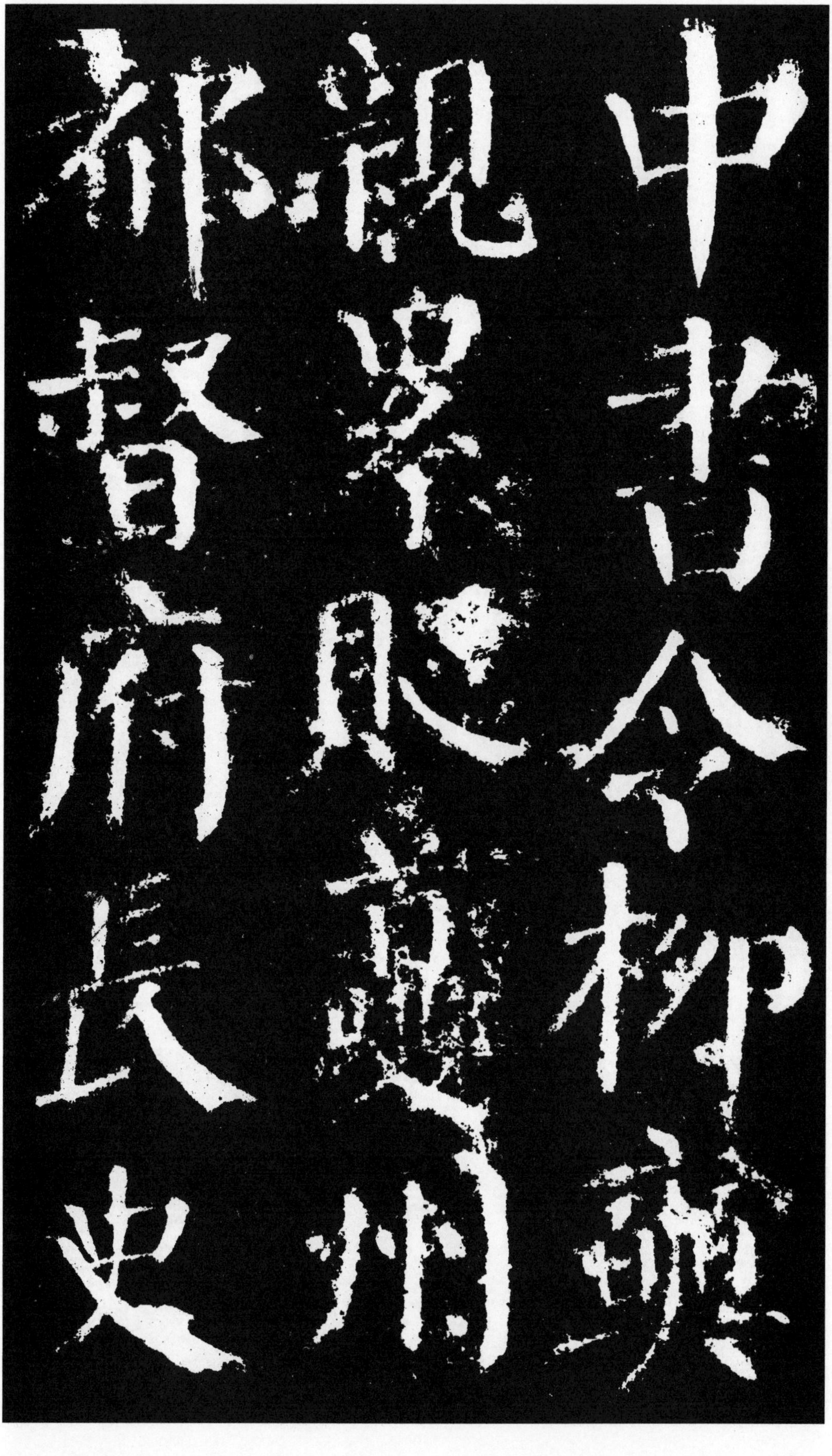

中書令柳奭 親累貶夔州 都督府長史

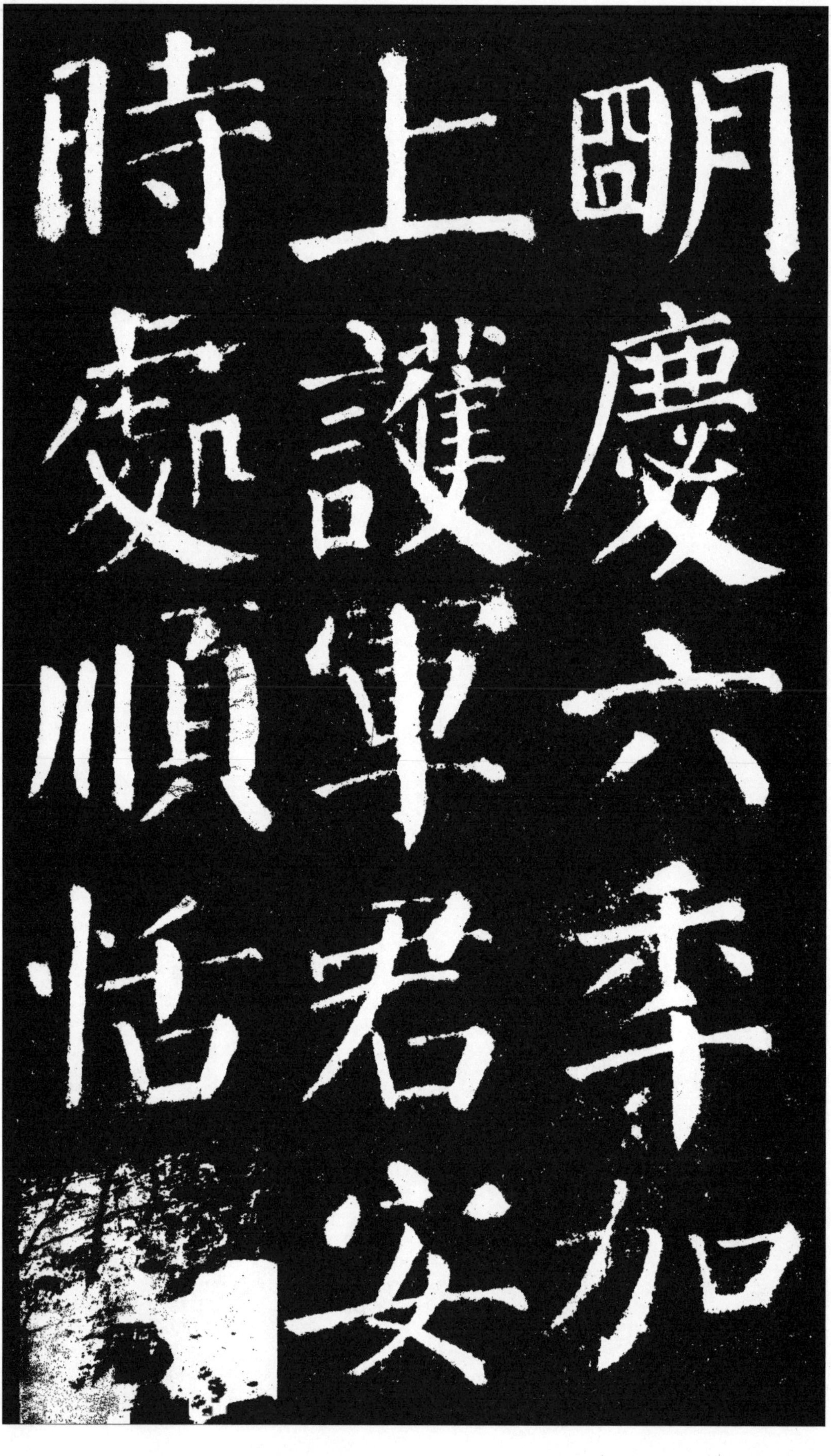

明慶六年加 上護軍君安 時處順恬[無]

愠色不幸遇疾　傾逝于府之　官舍既而旋

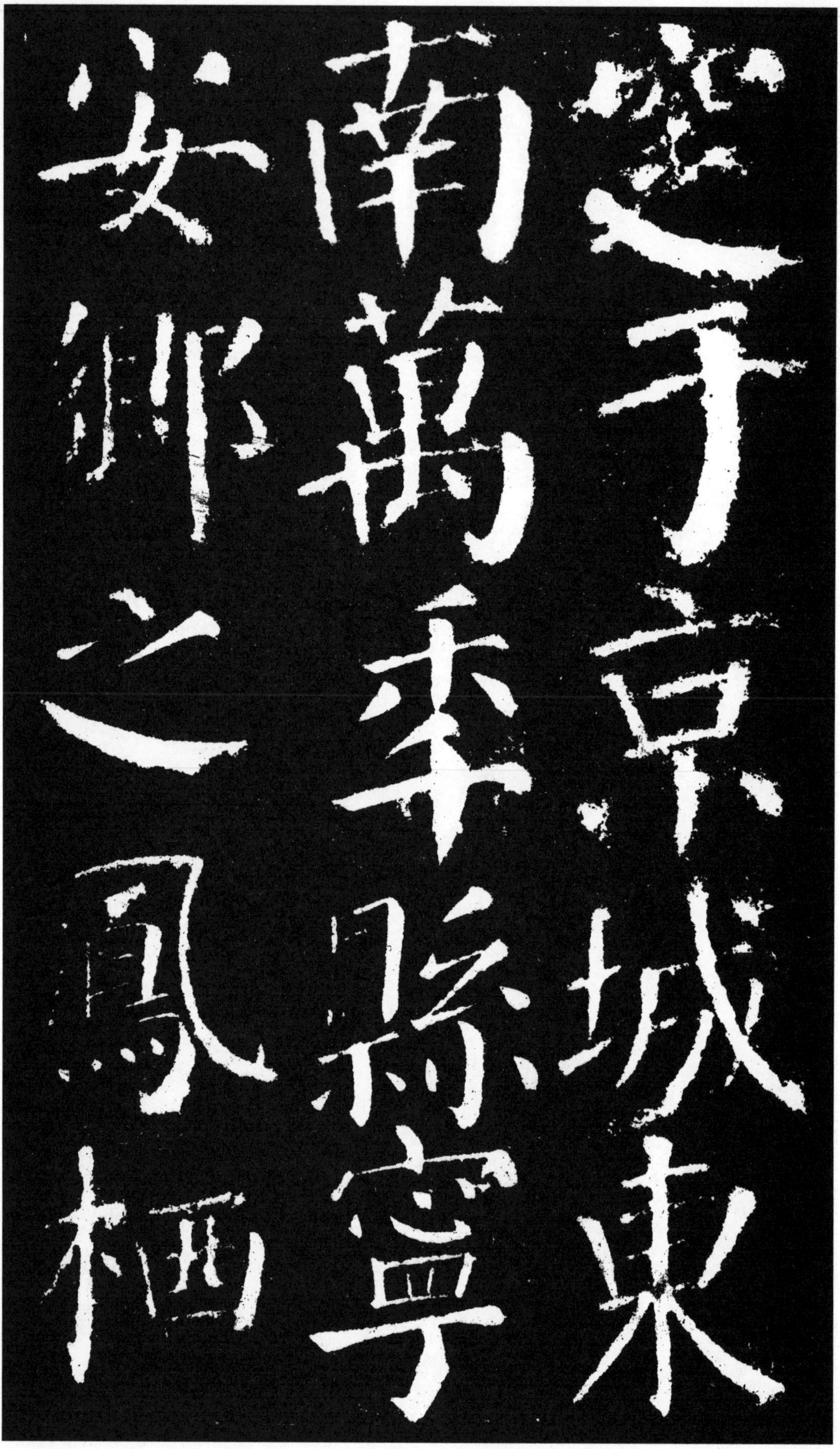

窆于京城東　南萬年縣寧　安鄉之鳳栖

原先夫人陳 郡殷氏 泉(暨)柳 夫人同合祔

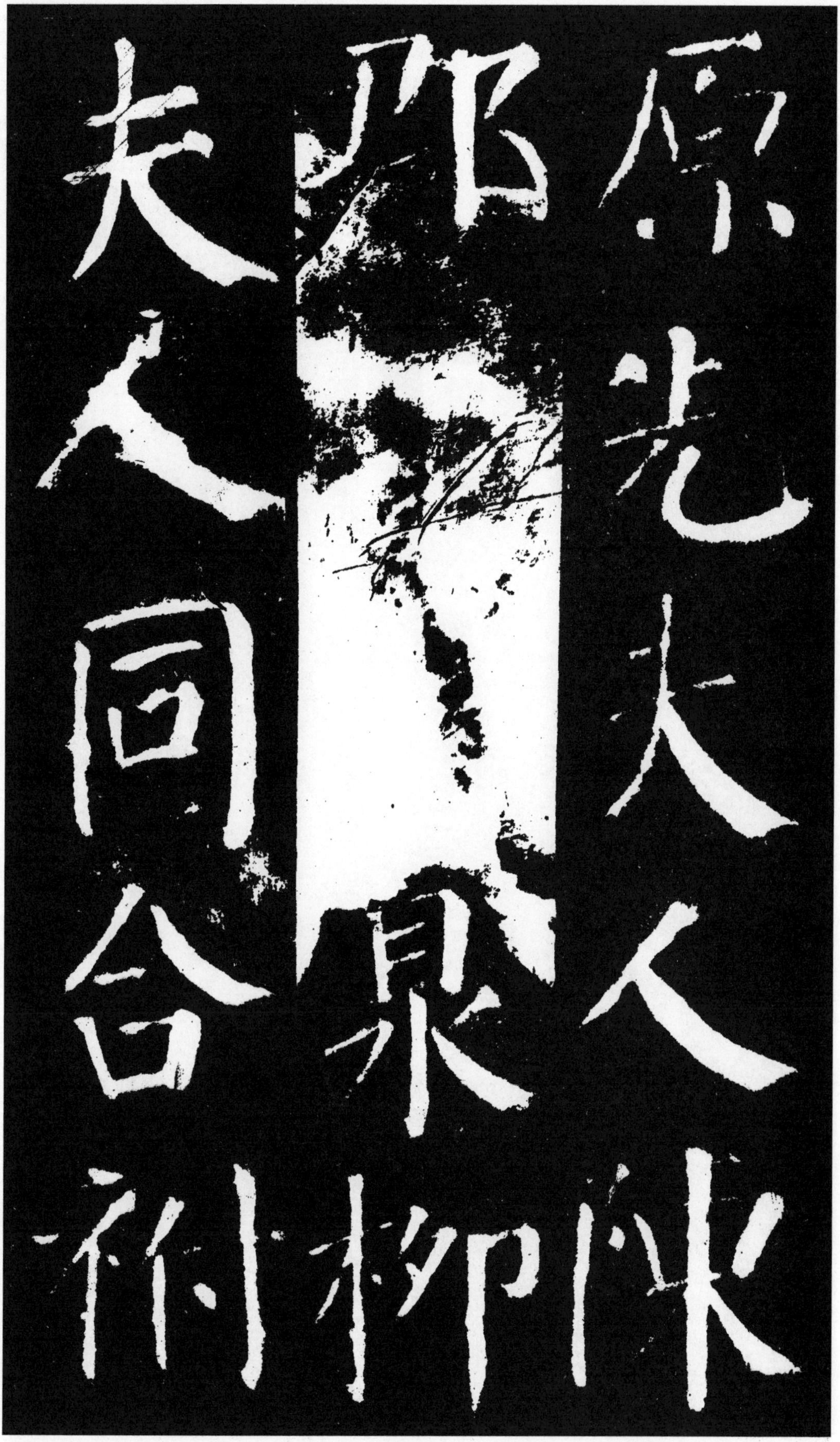

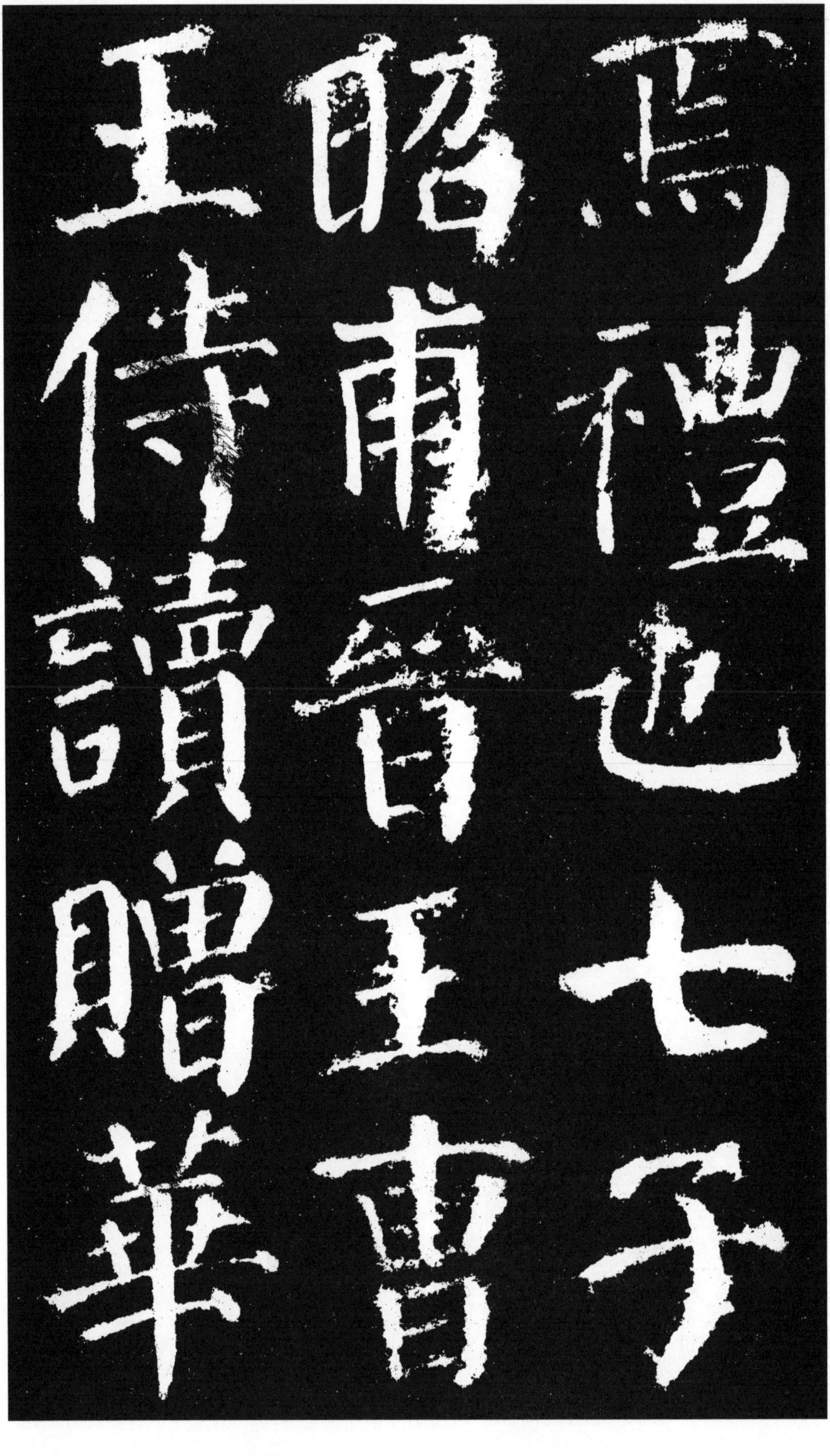

焉禮也七子 昭甫晉王曹 王侍讀贈華

州剌(刺)史事具　真卿所撰神　道碑敬仲[吏]

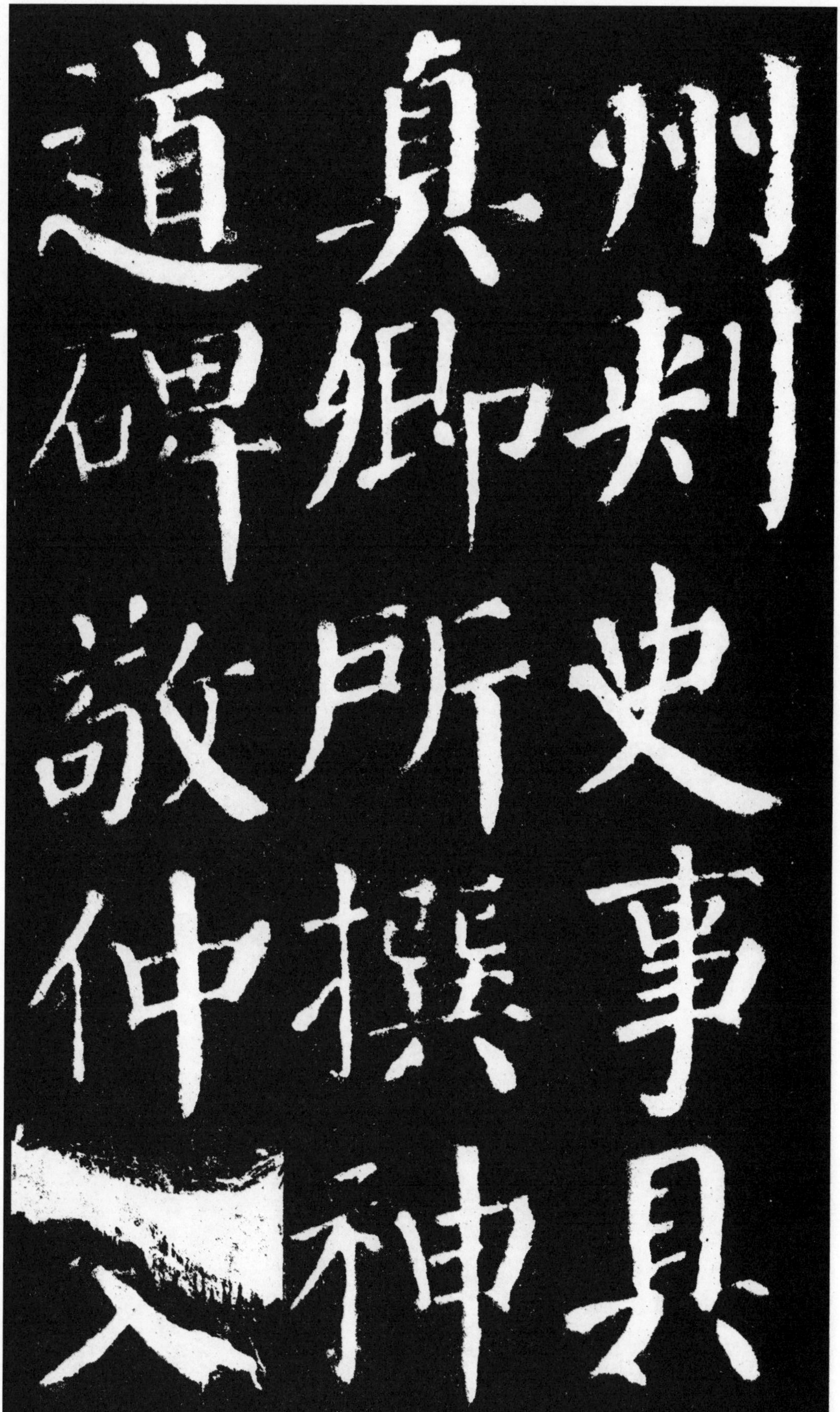

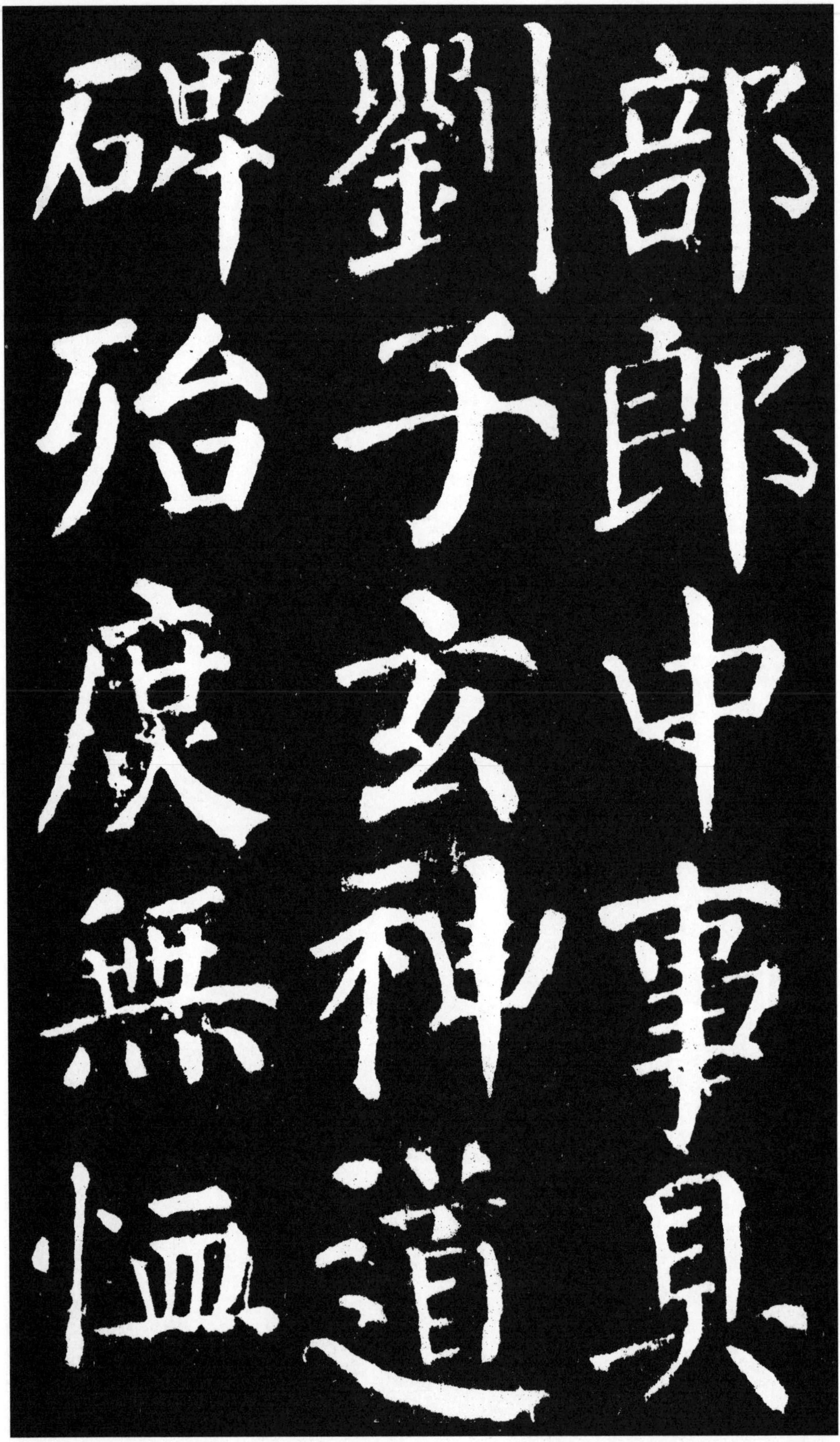

部郎中事具　劉子玄神道　碑殆庶無恤

辟非少連務　滋皆著學行　以柳令外甥

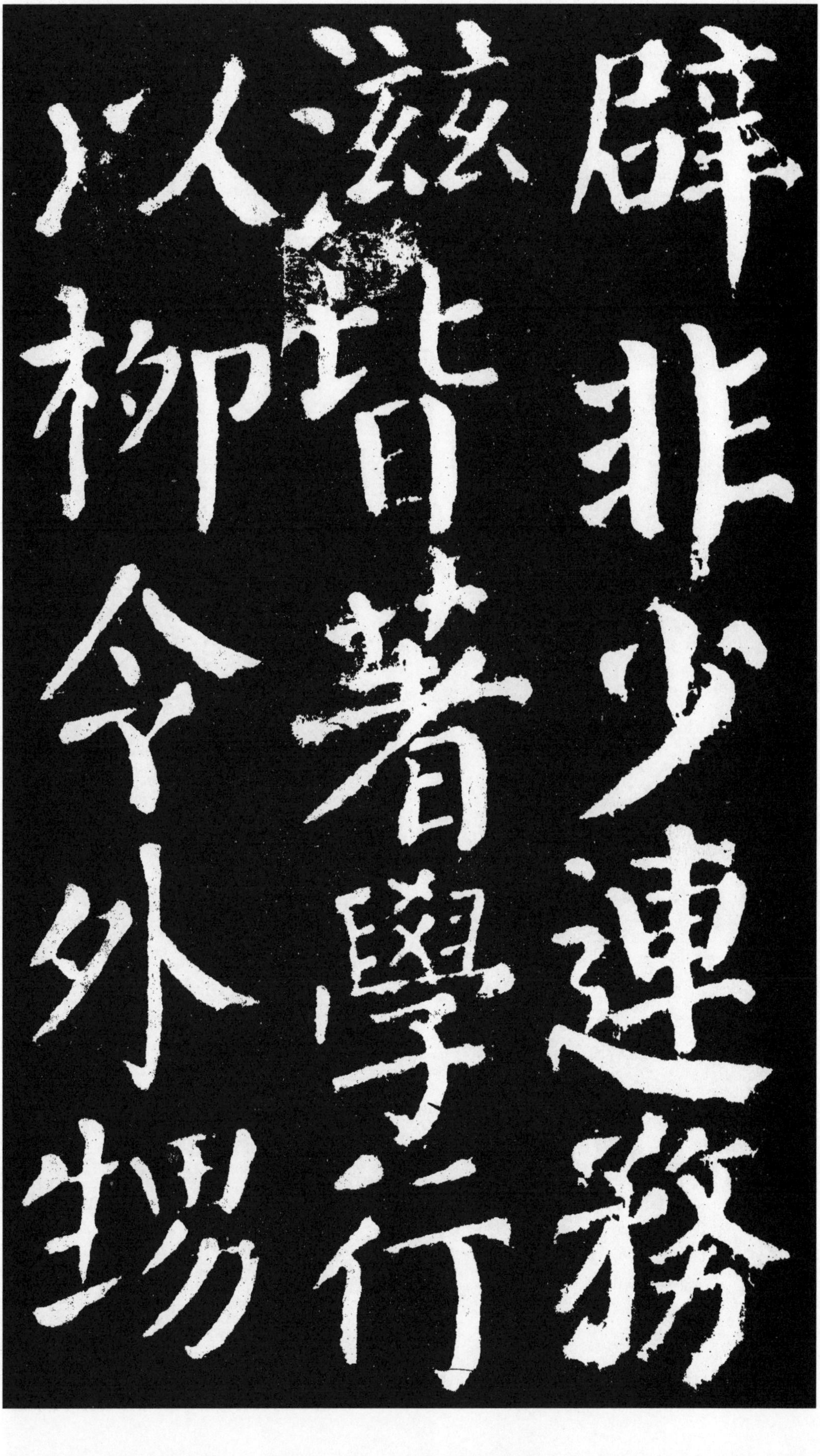

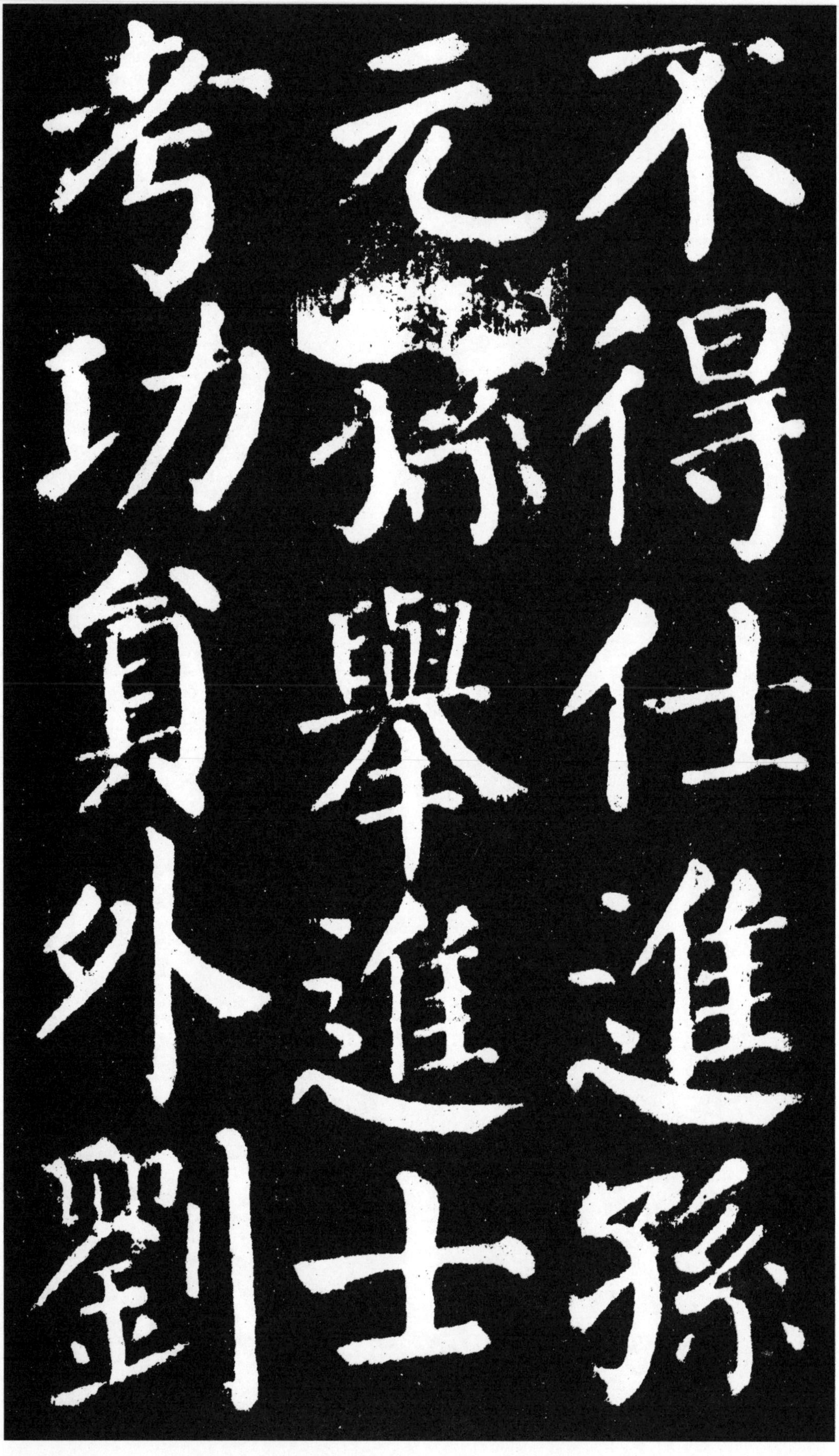

不得仕進孫　元孫舉進士　考功員外劉

奇特標(标)牓之　名動海內從　調以書判入

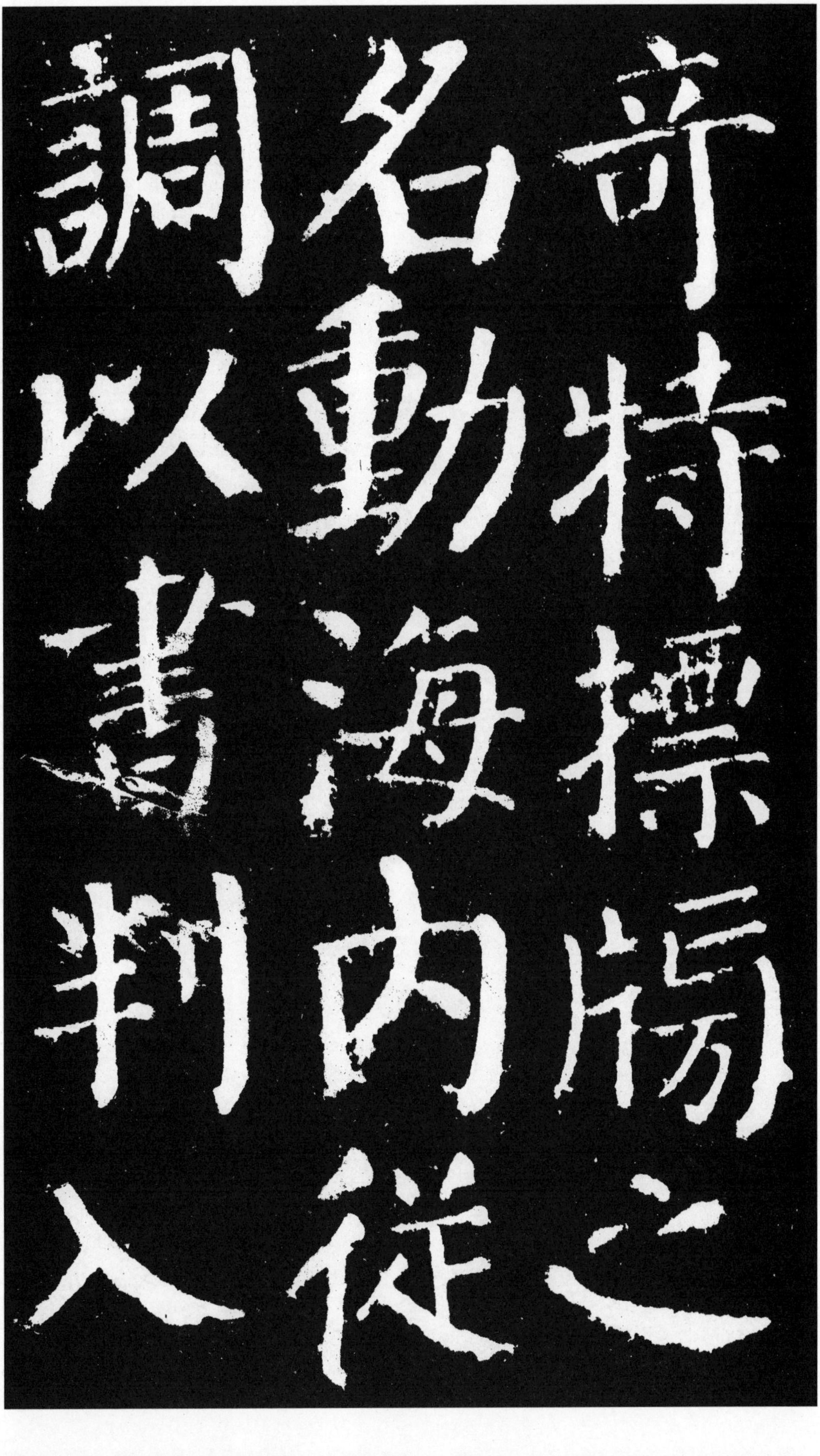

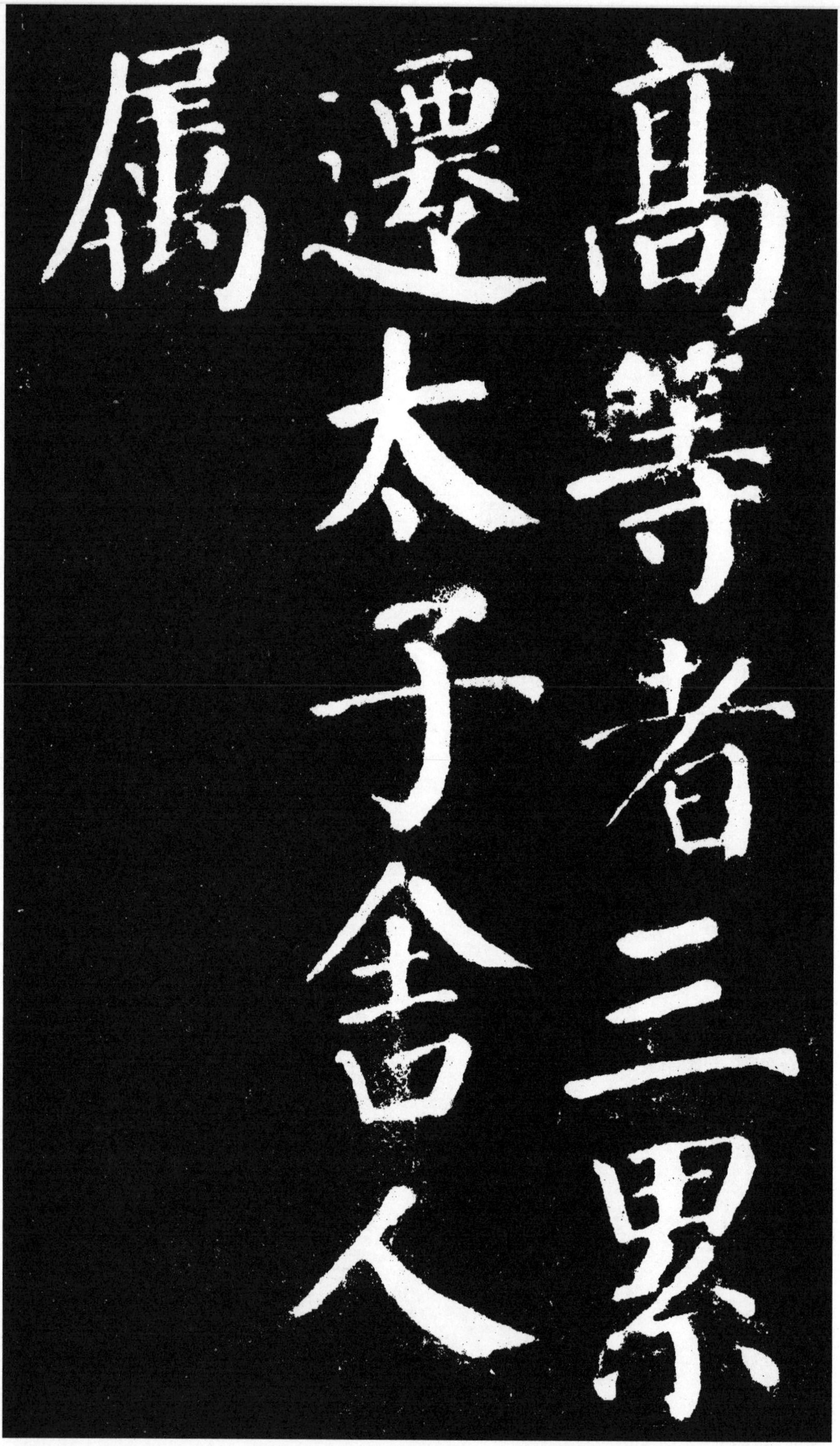

高等者三累　遷太子舍人　屬

玄宗監國專　掌令畫滁沂　豪三州剌(刺)史

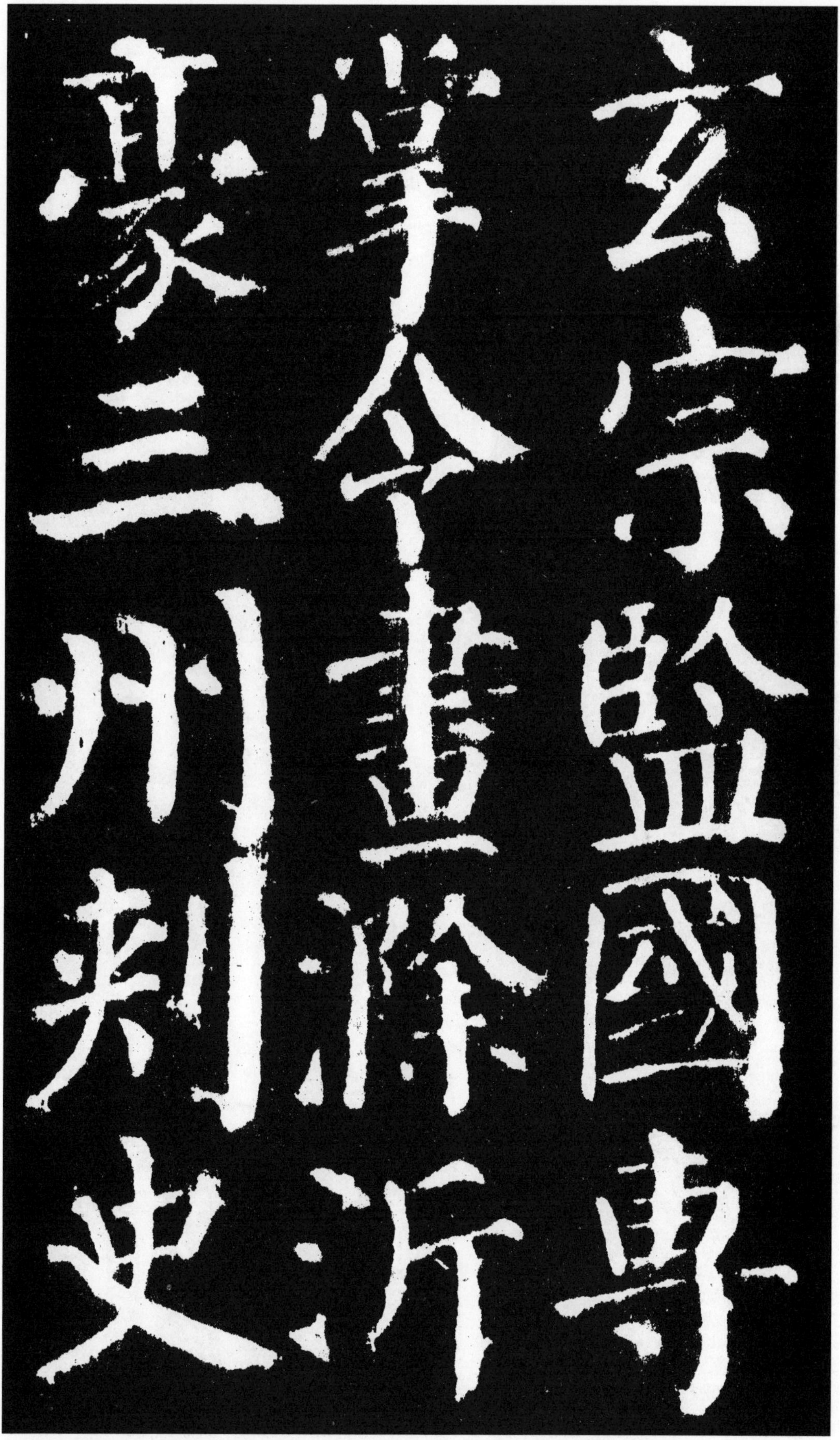

贈秘書監惟 貞頻以書判 入高等歷畿

赤尉丞太子　文學薛王友　贈國子祭酒

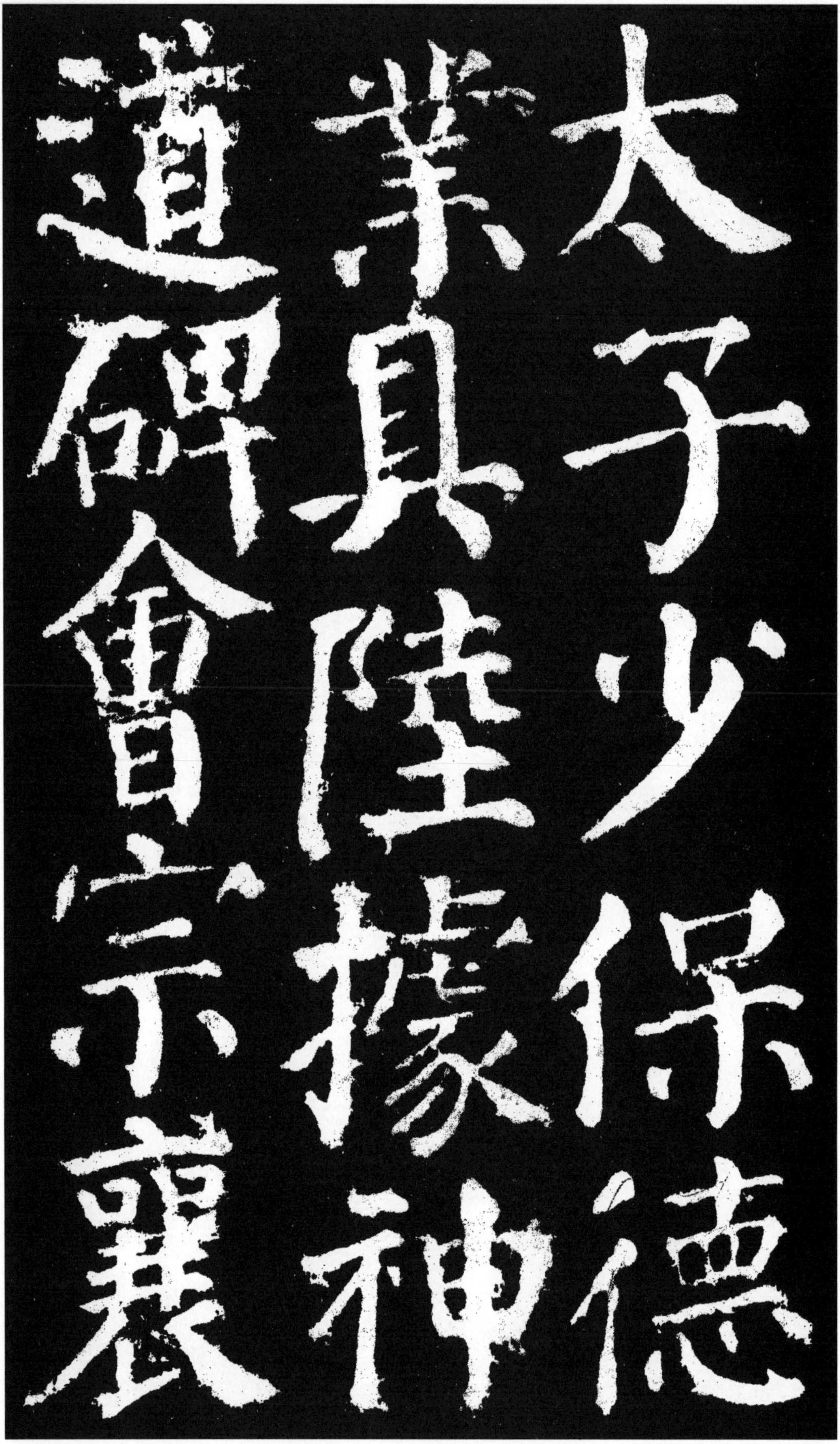

太子少保德　業具陸據神　道碑會宗襄

州參軍孝友　楚州司馬澄　左衛翊[衛]潤

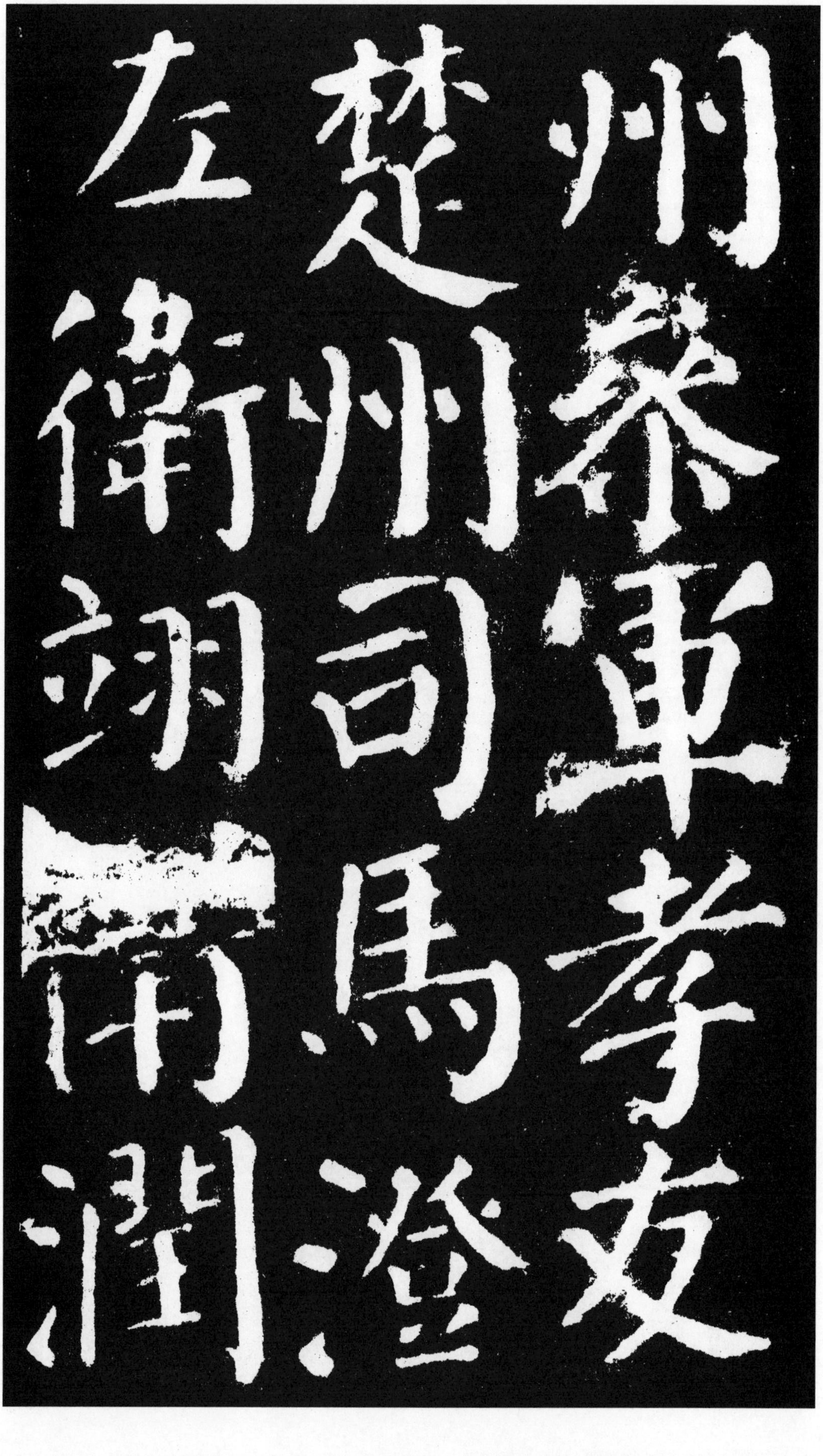

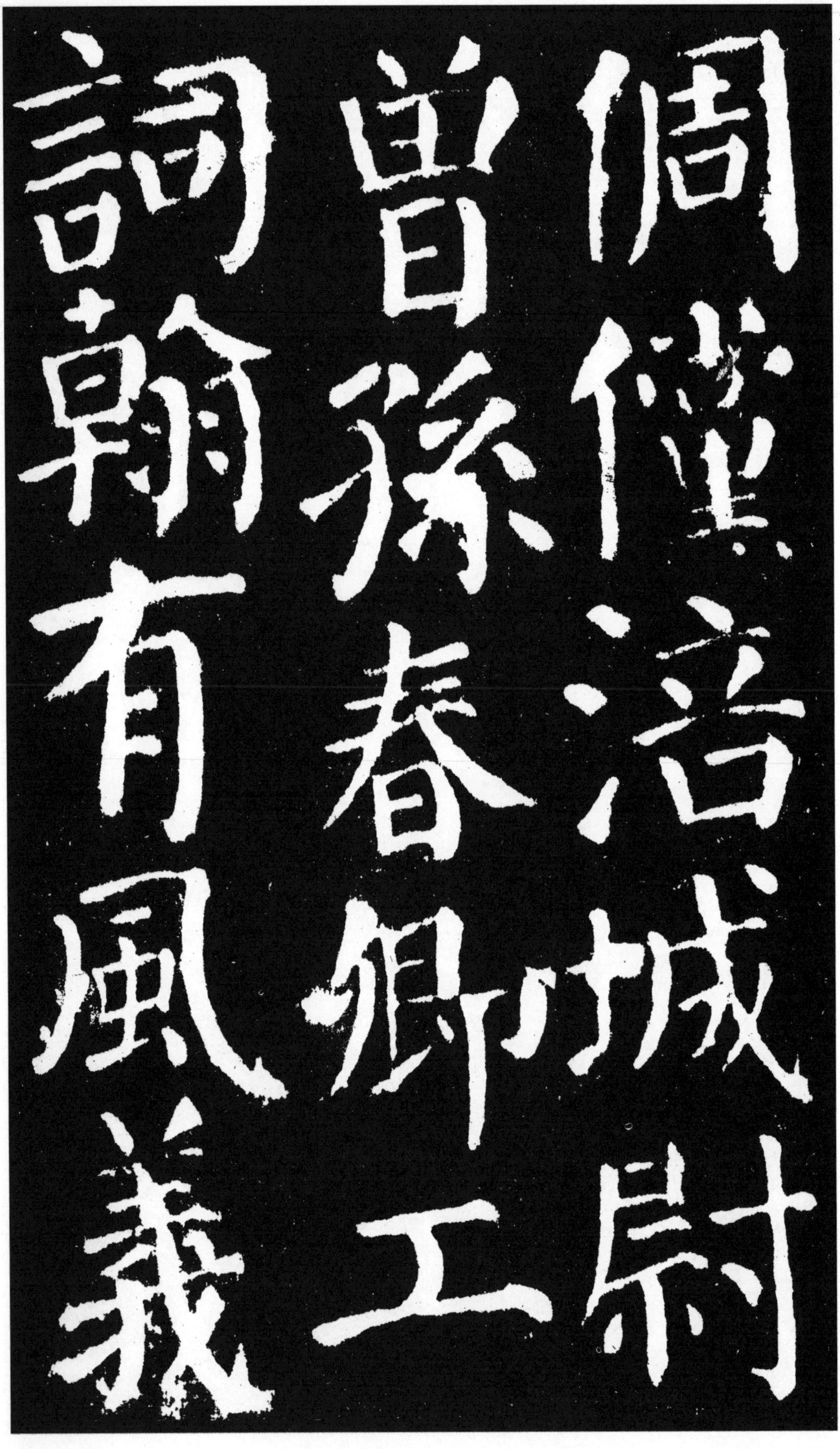

倜儻涪城尉　曾孫春卿工　詞翰有風義

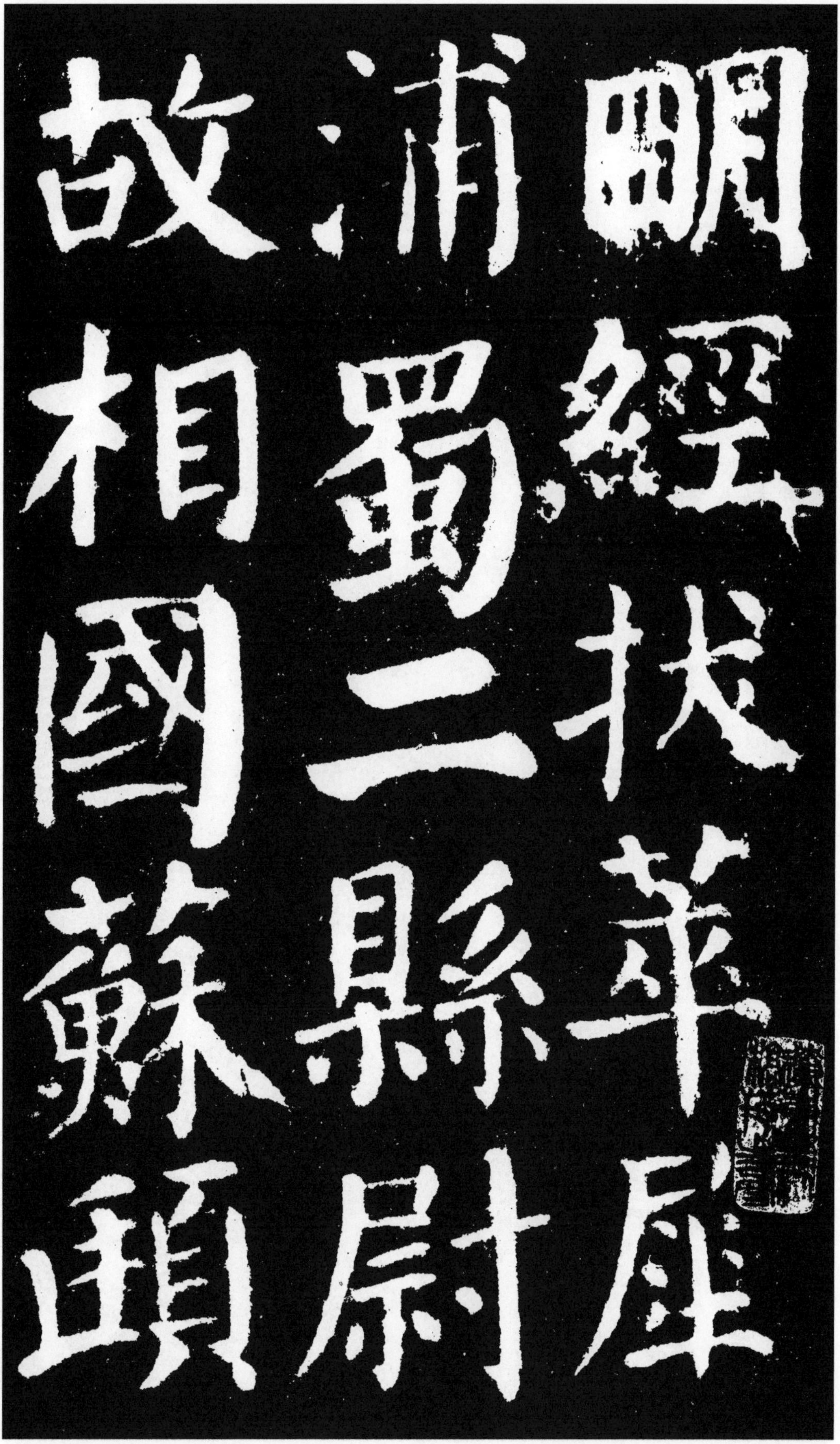

明經拔萃犀　浦蜀二縣尉　故相國蘇頲

舉茂才又爲　張敬忠劍南　節度判官偃

師丞杲卿忠　烈有清識吏　幹累遷太常

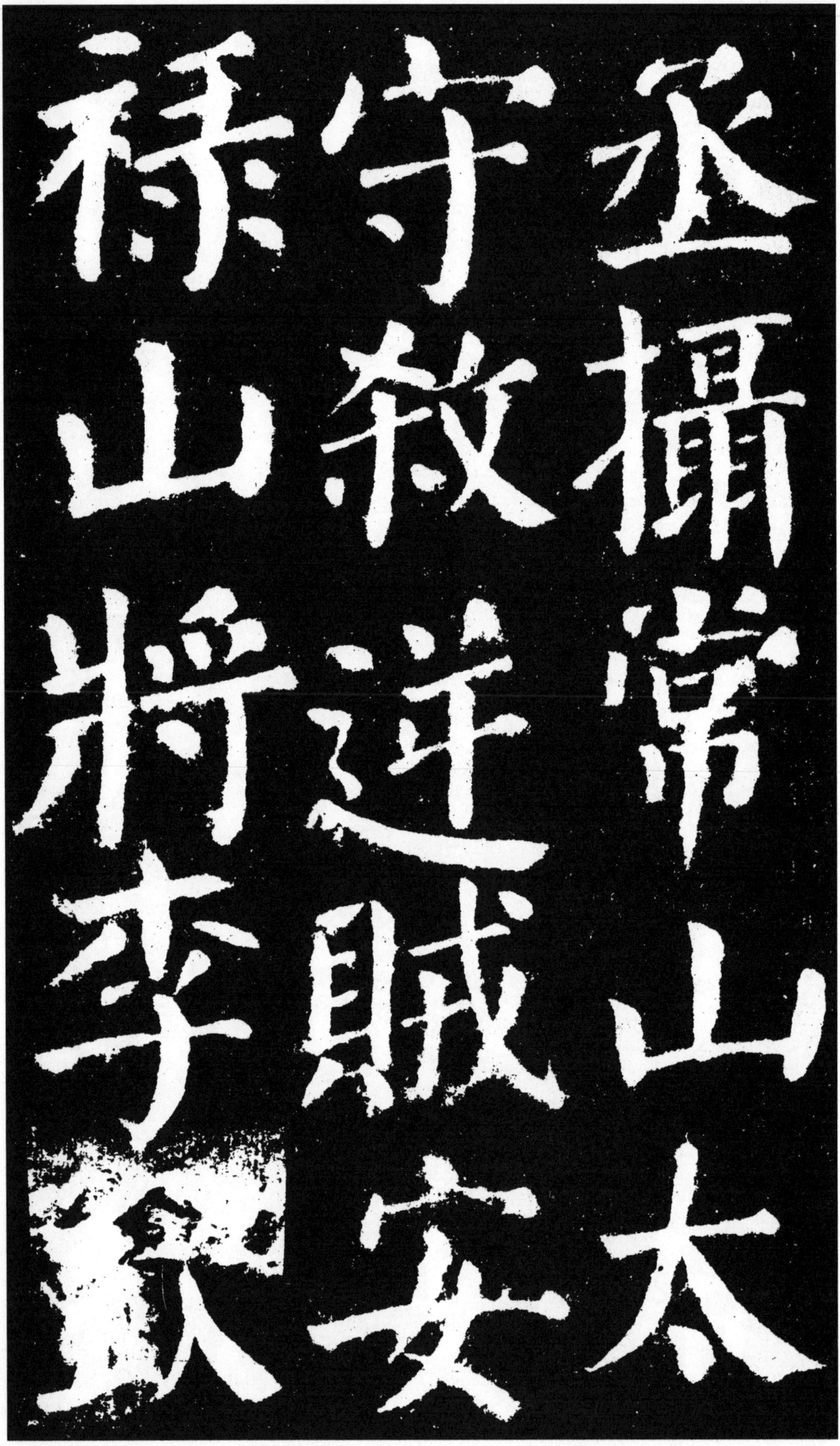

丞攝常山太　守殺逆賊安　祿山將李欽

凑開土門擒　其心手何千　年高邈還衛

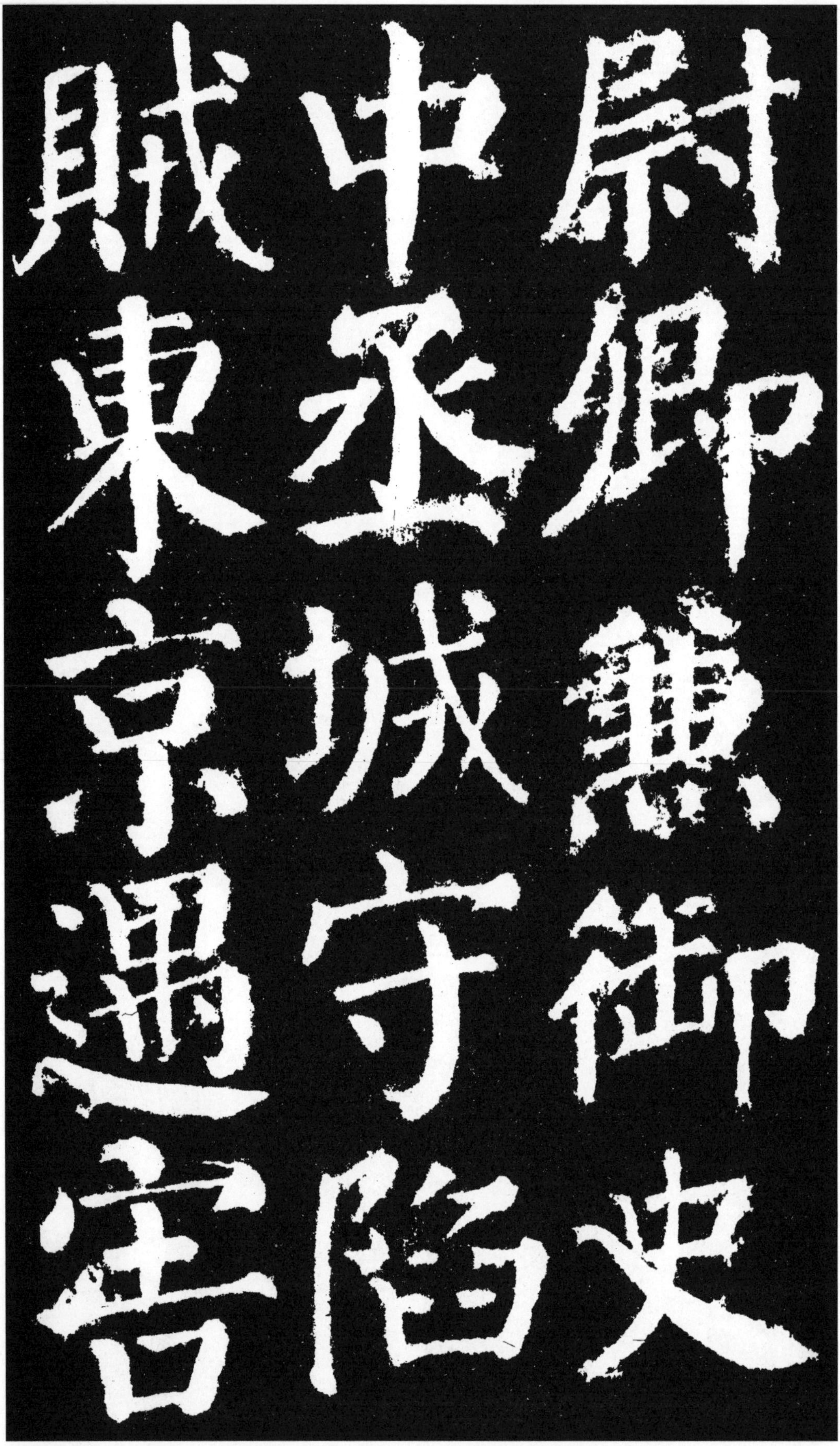

尉卿兼御史　中丞城守陷　賊東京遇害

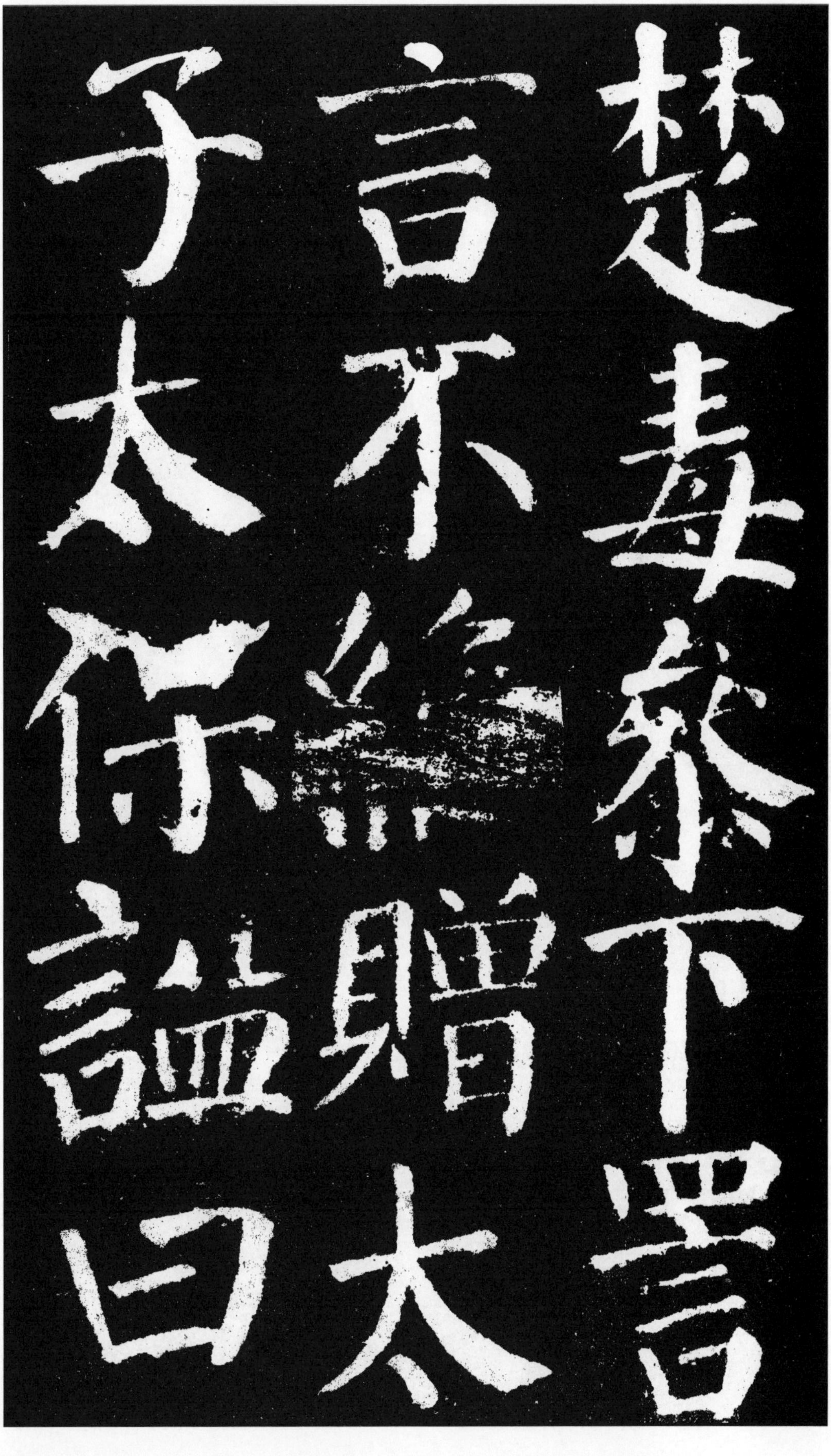

楚毒參下詈 言不绝贈太 子太保謚曰

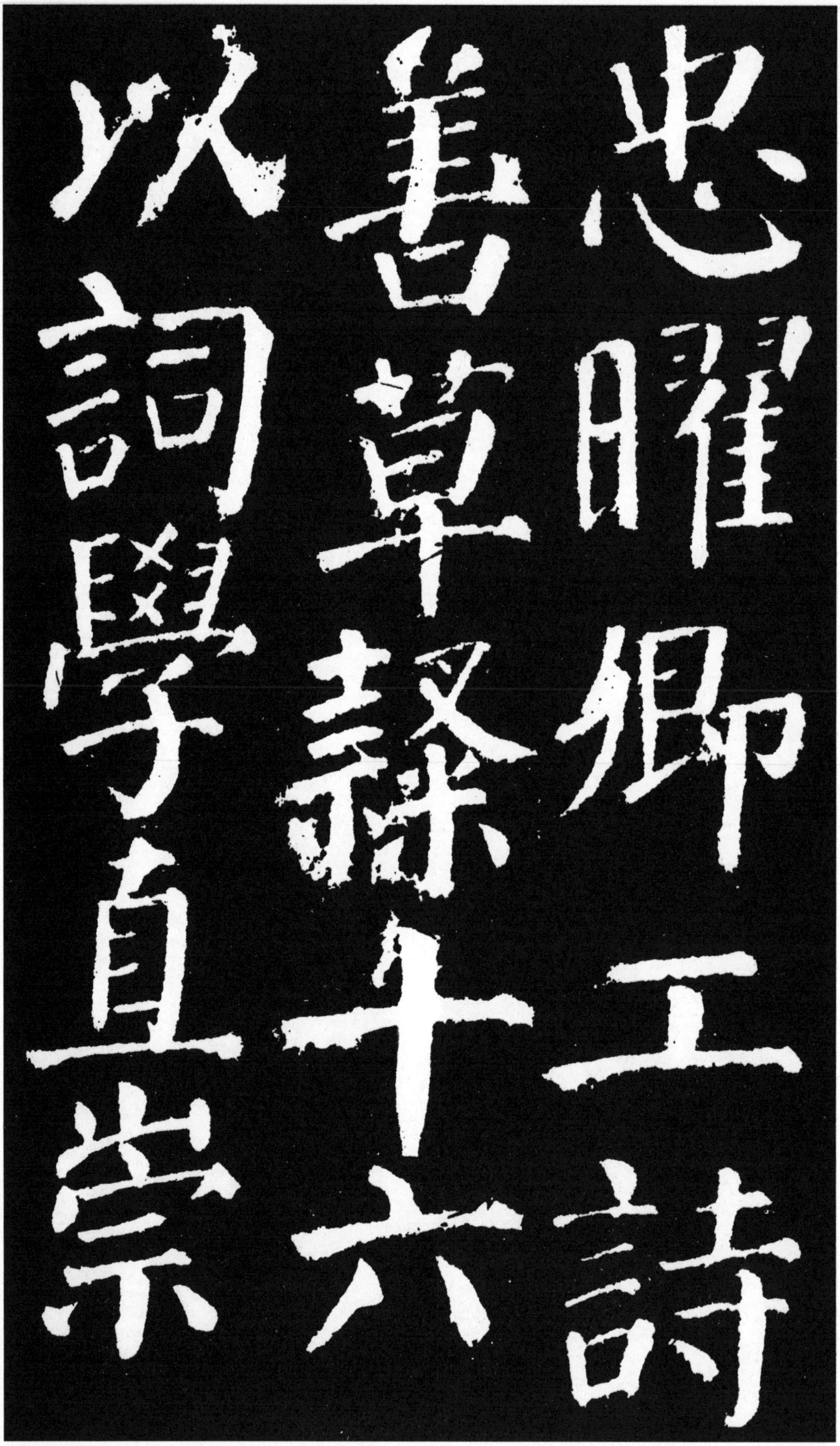

忠曜卿工詩　善草隸十六　以詞學直崇

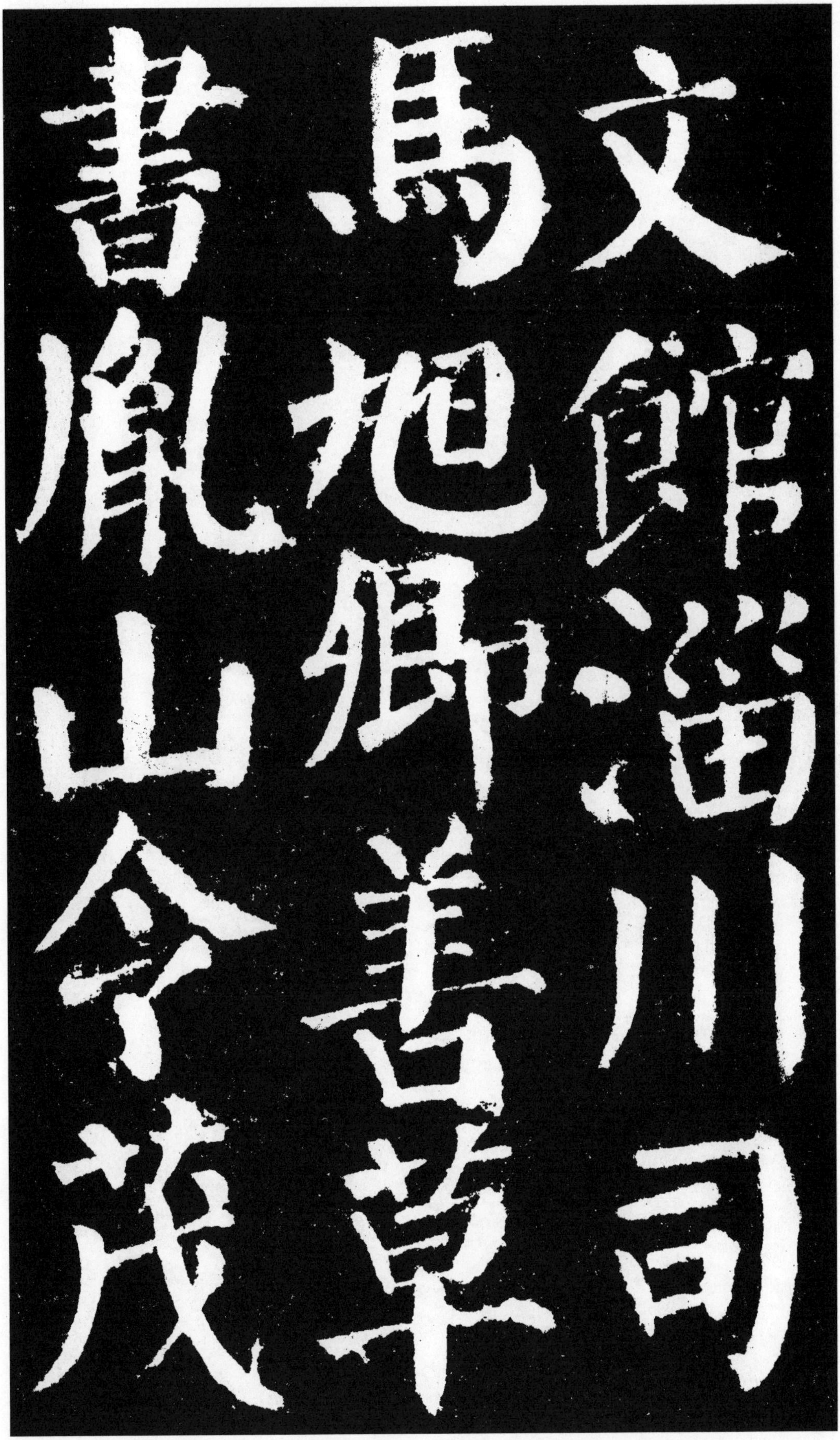

文館淄川司　馬旭卿善草　書胤山令茂

曾訥言敏行　頗工篆籀犍　爲司馬闕疑

仁孝善詩春　秋杭州參軍　允南工詩人

仁孝善詩春
秋杭州參軍
允南工詩人

皆諷誦之善　草隸書判頻　入等第歷左

補闕殿中侍　御史三爲郎　官國子司業

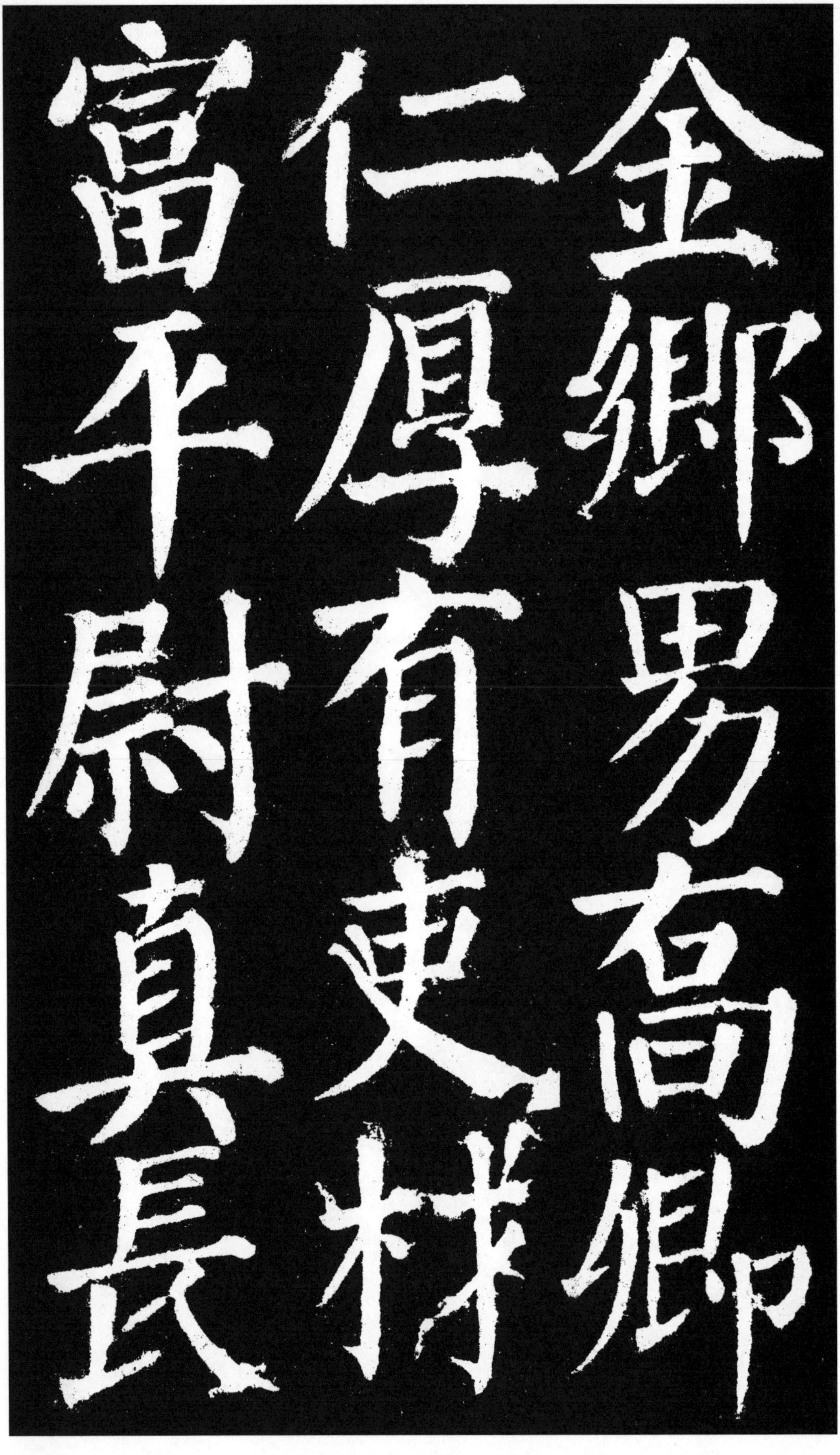

金鄉男喬卿　仁厚有吏材　富平尉真長

耿介舉明經　幼輿敦雅有　醞藉通班漢

書左清道率
府兵曹真卿
舉進士校書

書左清道率　府兵曹真卿　舉進士校書

郎舉文詞秀　逸醴泉尉黜　陟使王鉷以

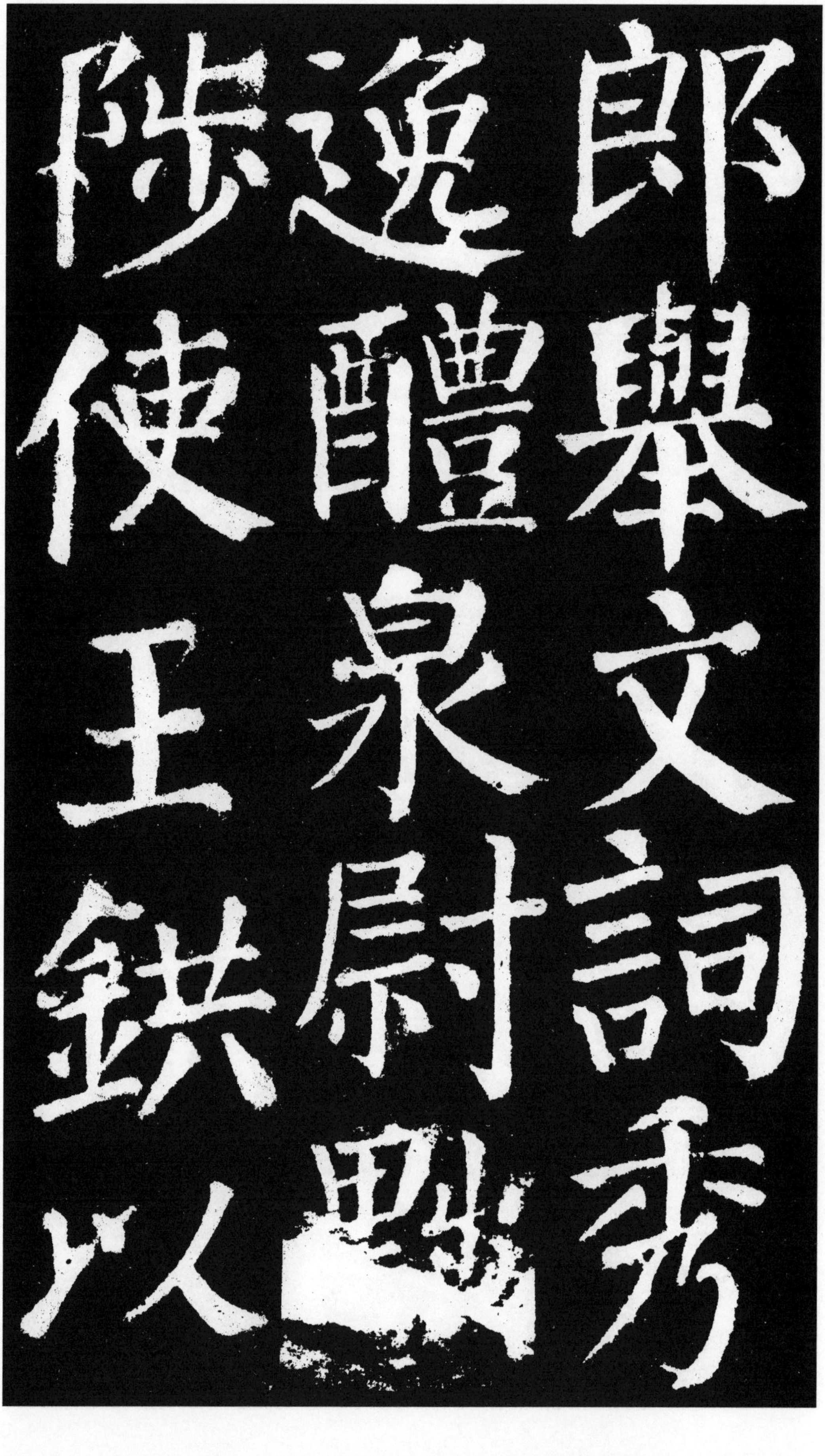

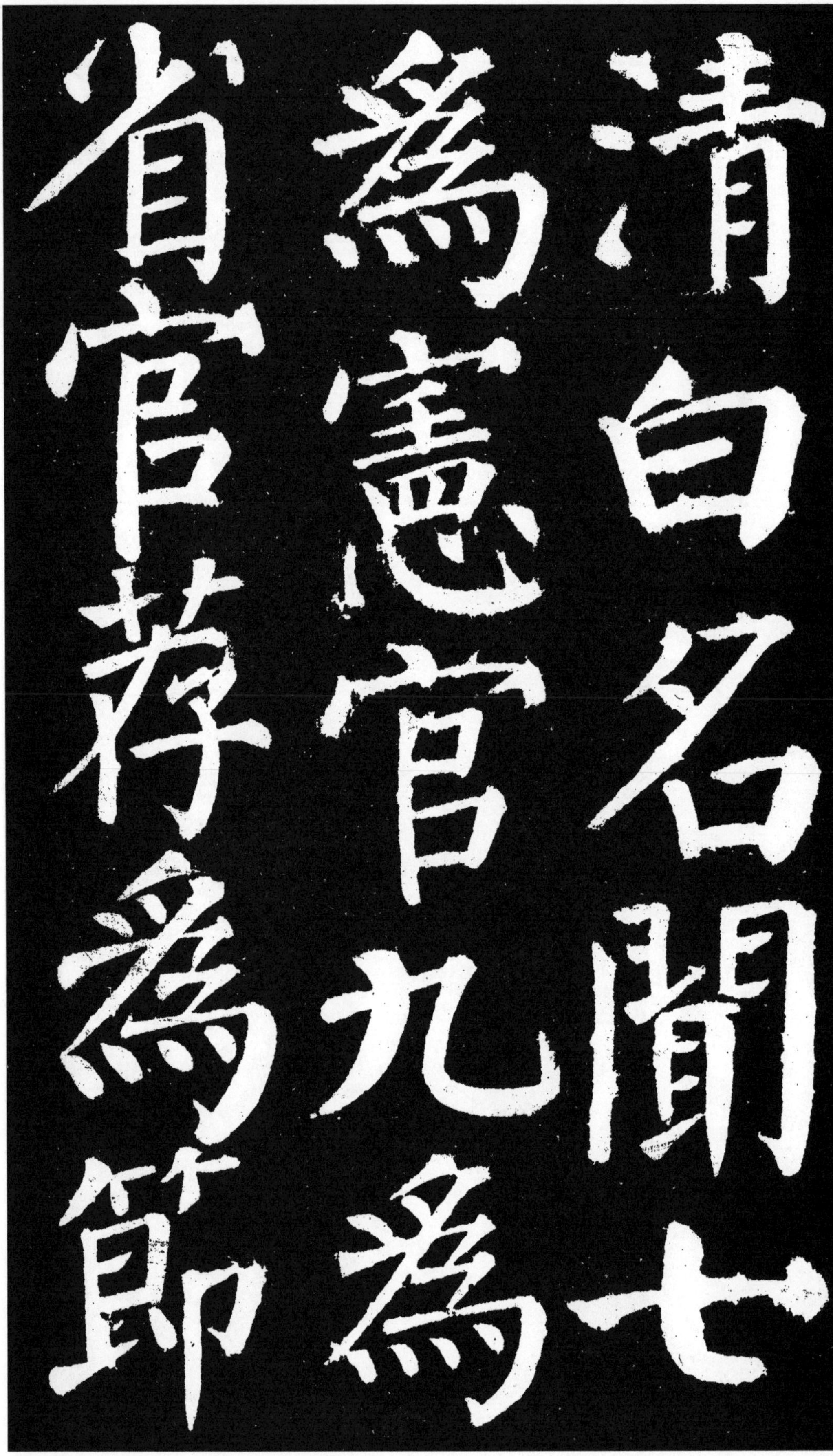

清白名聞七　爲憲官九爲　省官薦爲節

度採訪觀察　使魯郡公允　臧敦實有吏

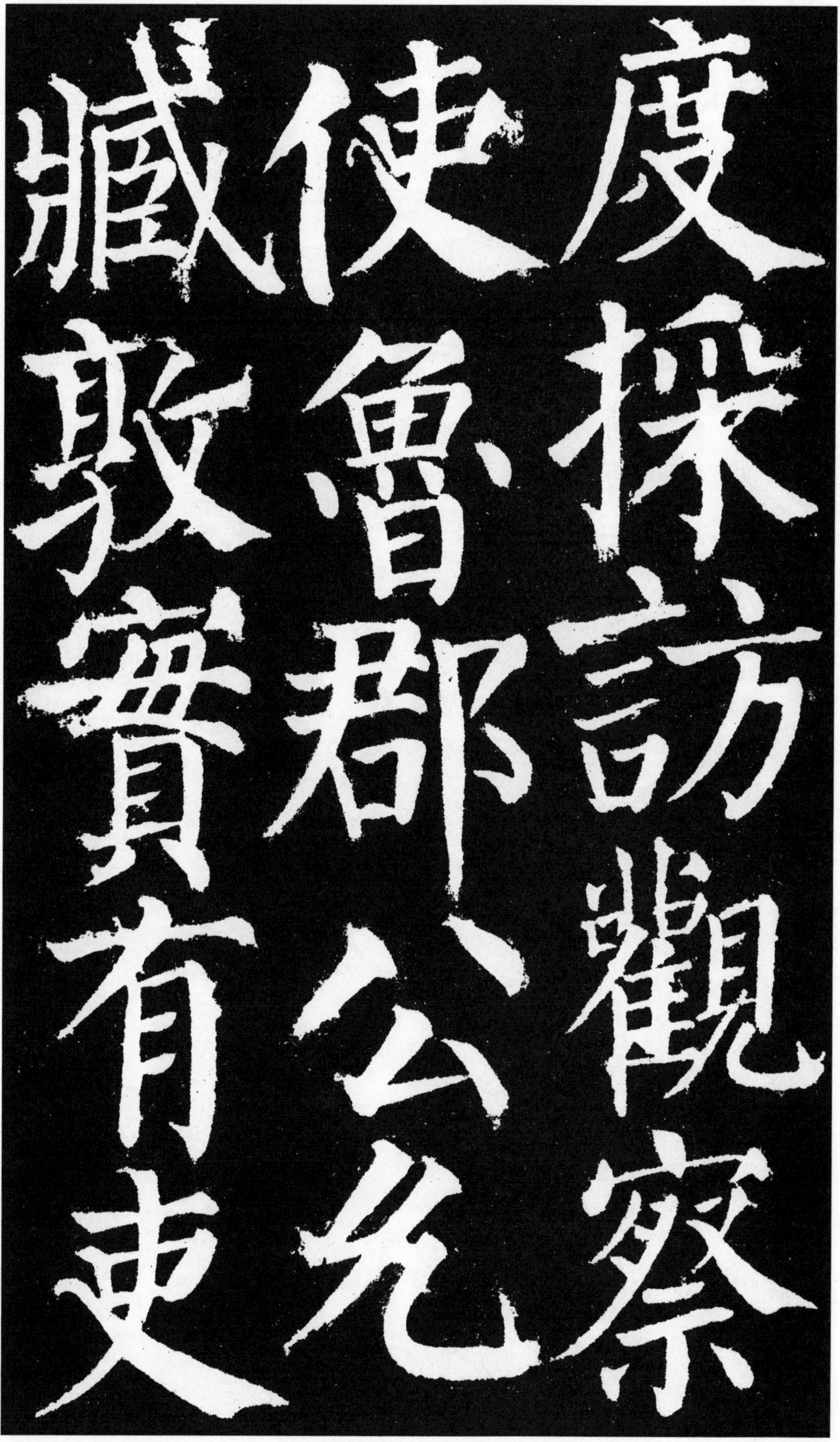

能舉縣令宰　延昌四爲御　史充太尉郭

子儀判官江　陵少尹荊南　行軍司馬長

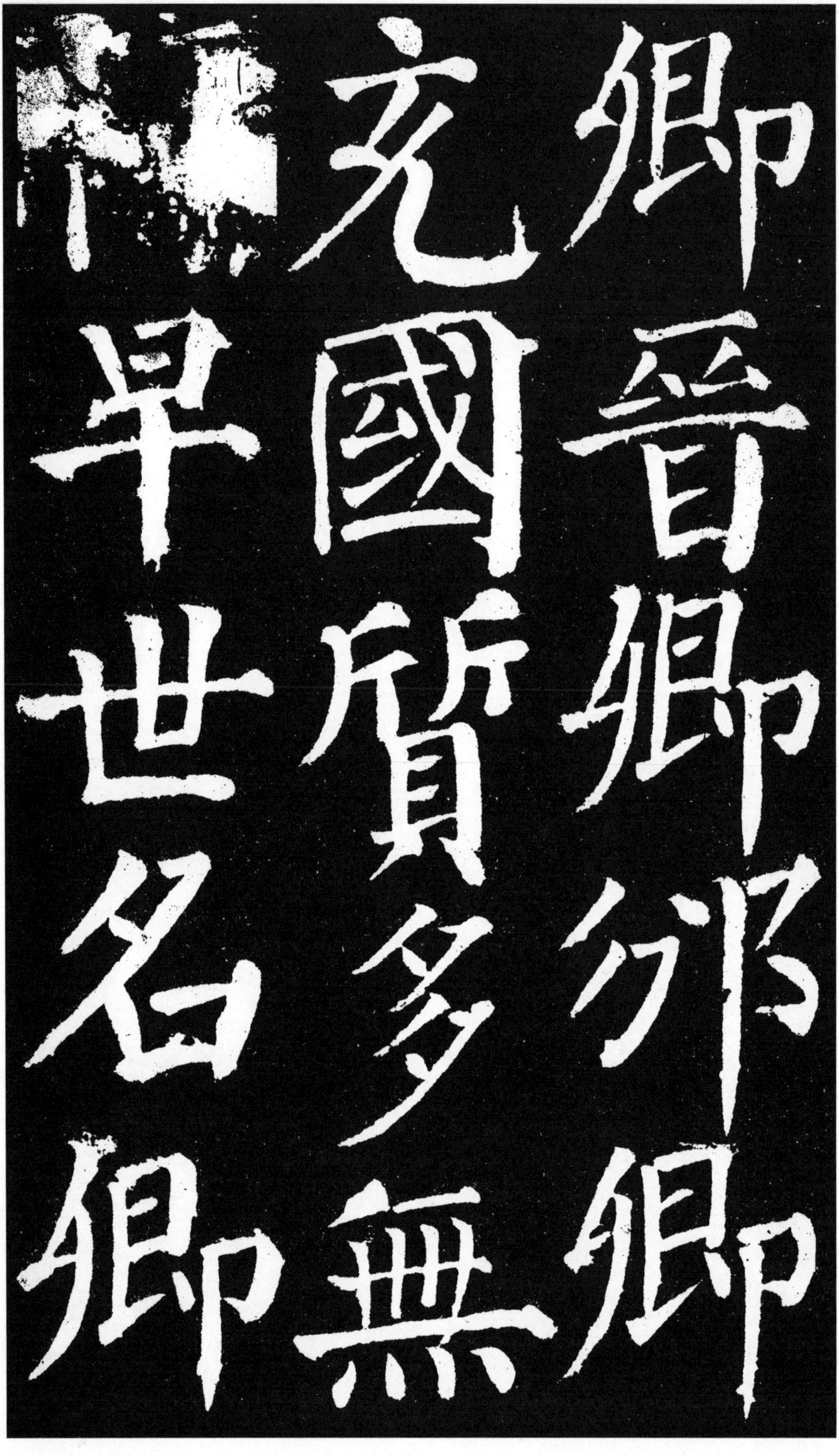

卿晋卿邠卿　充國質多無　禄早世名卿

倜佶伋倫竝　爲武官玄孫　纮通義尉没

于鑾泉明孝　義有吏道父　開土門佐其

謀彭州司馬　威明邛州司　馬季明子幹

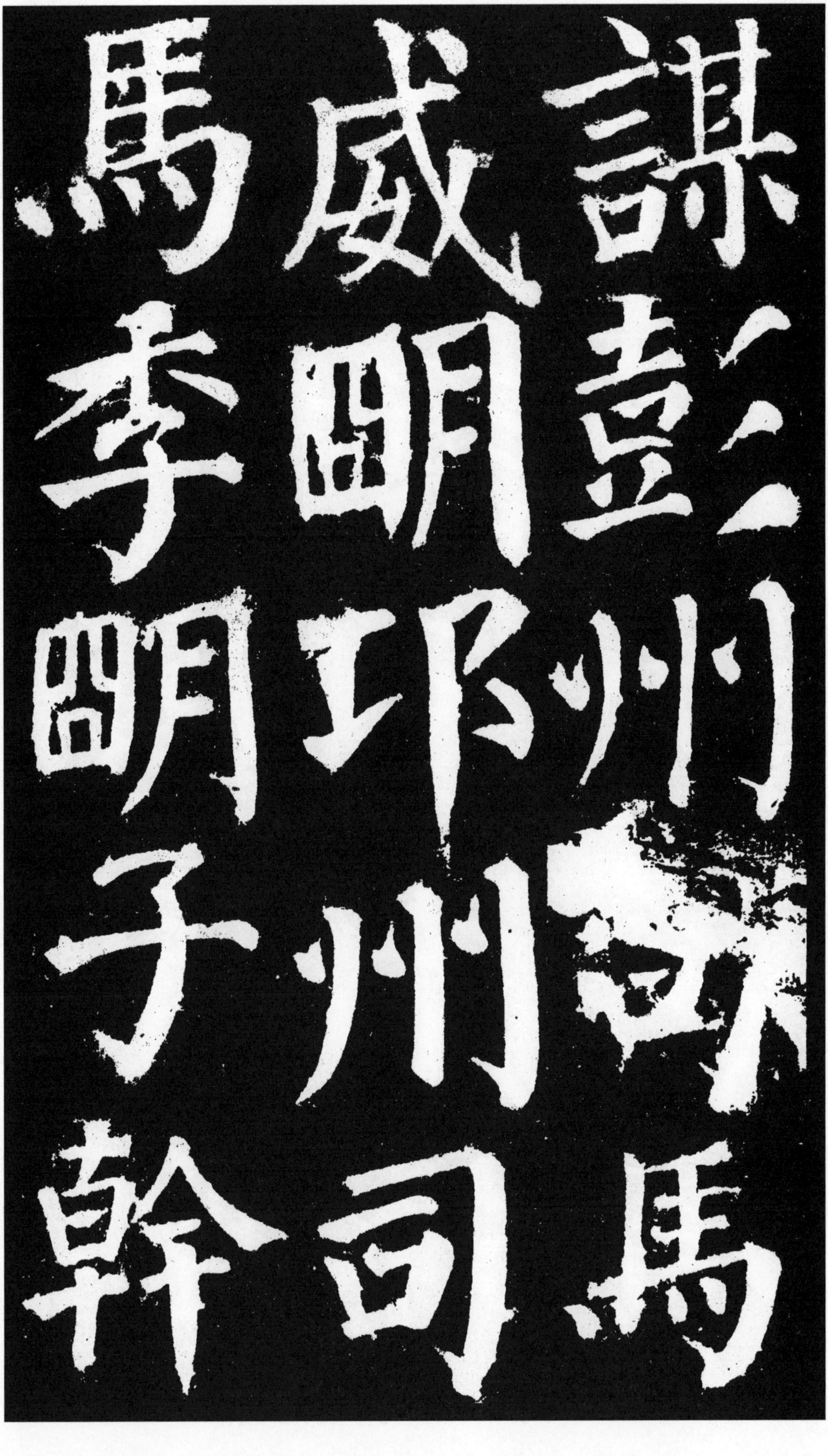

沛詡頗泉明
男誕及君外
曾孫沈盈盧

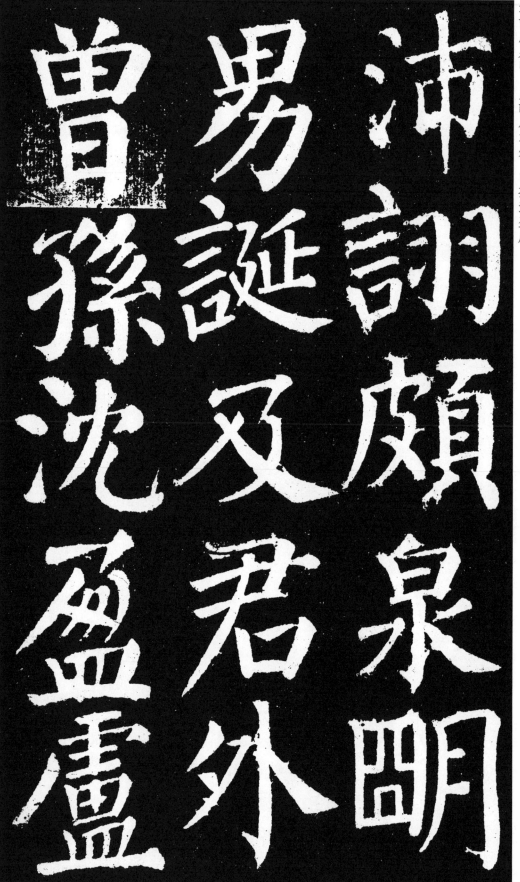

沛詡頗泉明　男誕及君外　曾孫沈盈盧

逖竝爲逆賊　所害俱蒙贈　五品京官濬

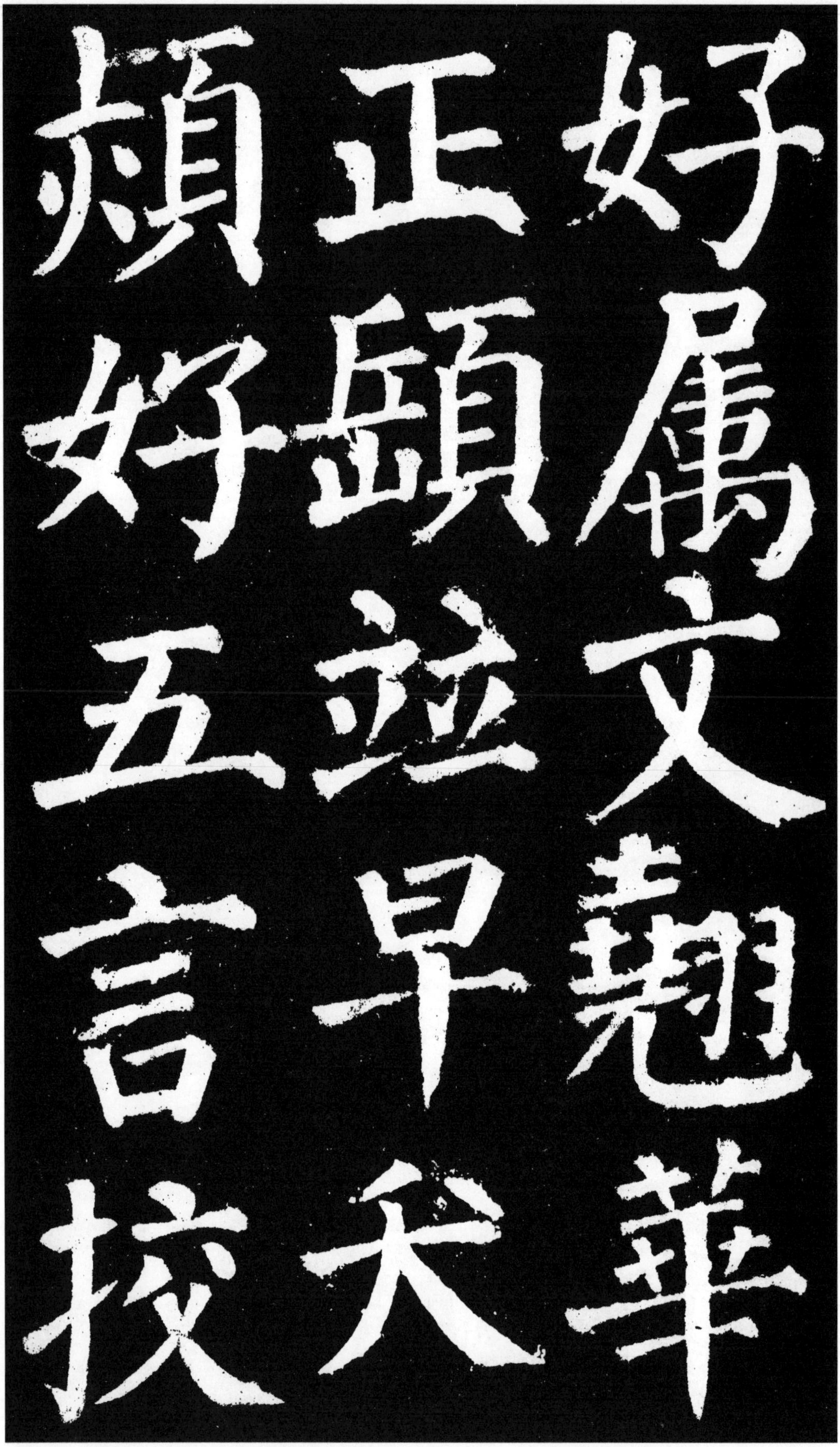

好屬文翹華　正頷竝早夭　頰好五言校

書郎頲仁孝　方正明經大　理司直充張

萬頃嶺南營
田判官顗鳳
翔參軍頍通

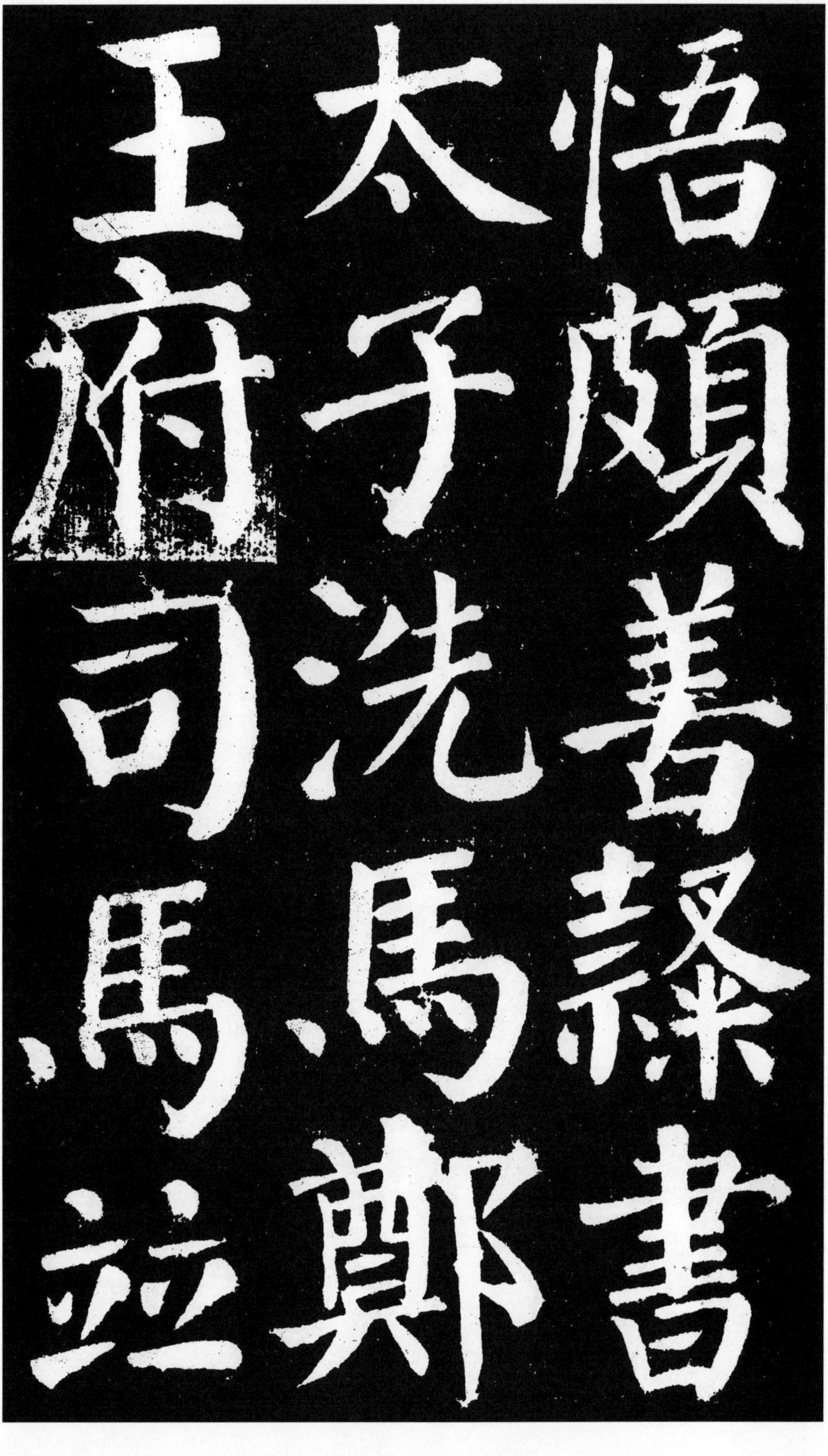

悟頗善隸書　太子洗馬鄭　王府司馬竝

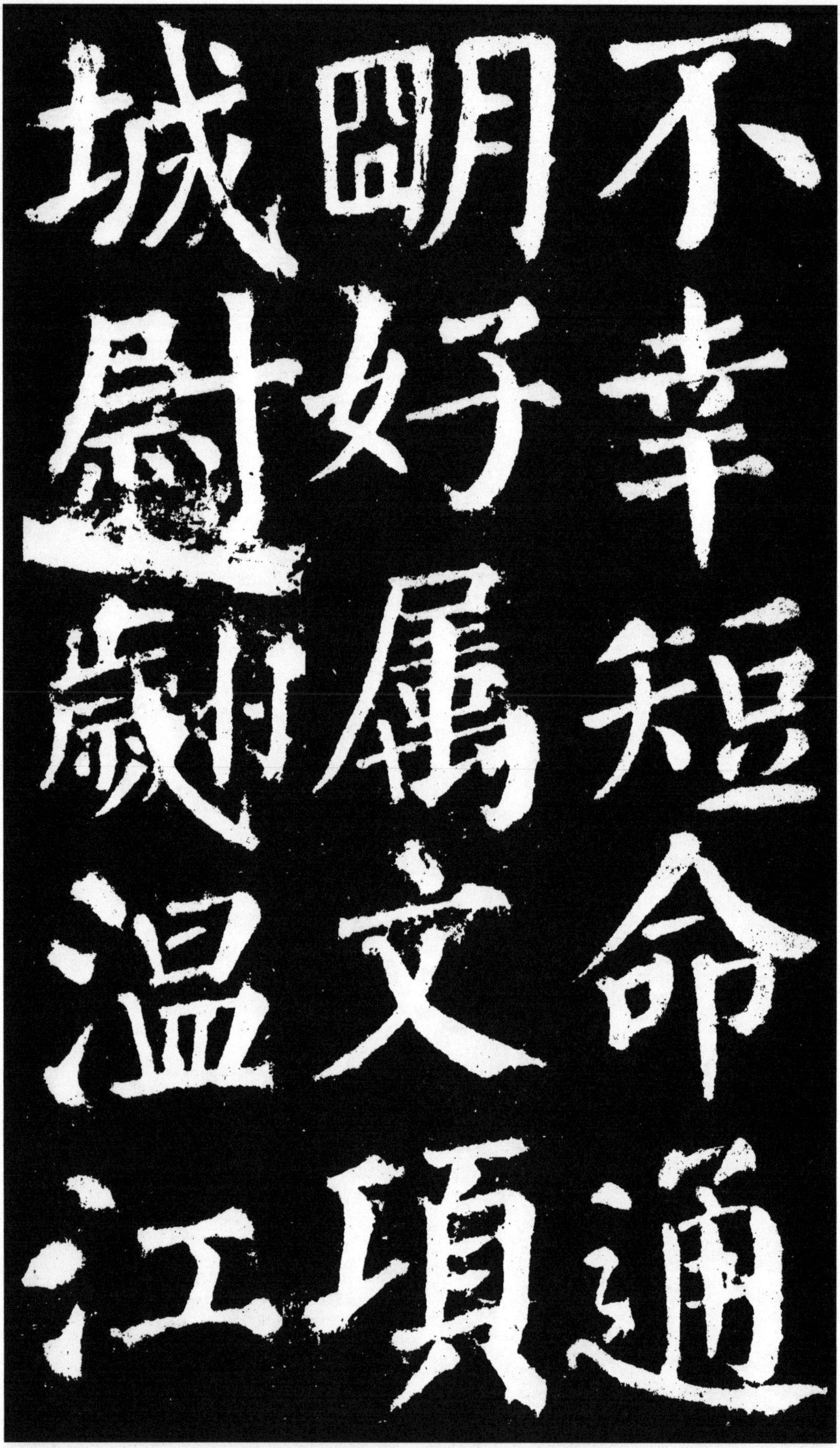

不幸短命通　明好屬文項　城尉翽温江

丞覲綿州參　軍靚鹽亭尉　顥仁和有政

理蓬州長史　慈明仁順幹　蠱都水使者

穎介直河南　府法曹頔奉　禮郎頎江陵

參軍頡當陽　主簿頌河中　參軍頂衛尉

主簿願左千　牛頤頫竝京　兆參軍頫須

頒竝童稚未　仕自黃門御　正至君父叔

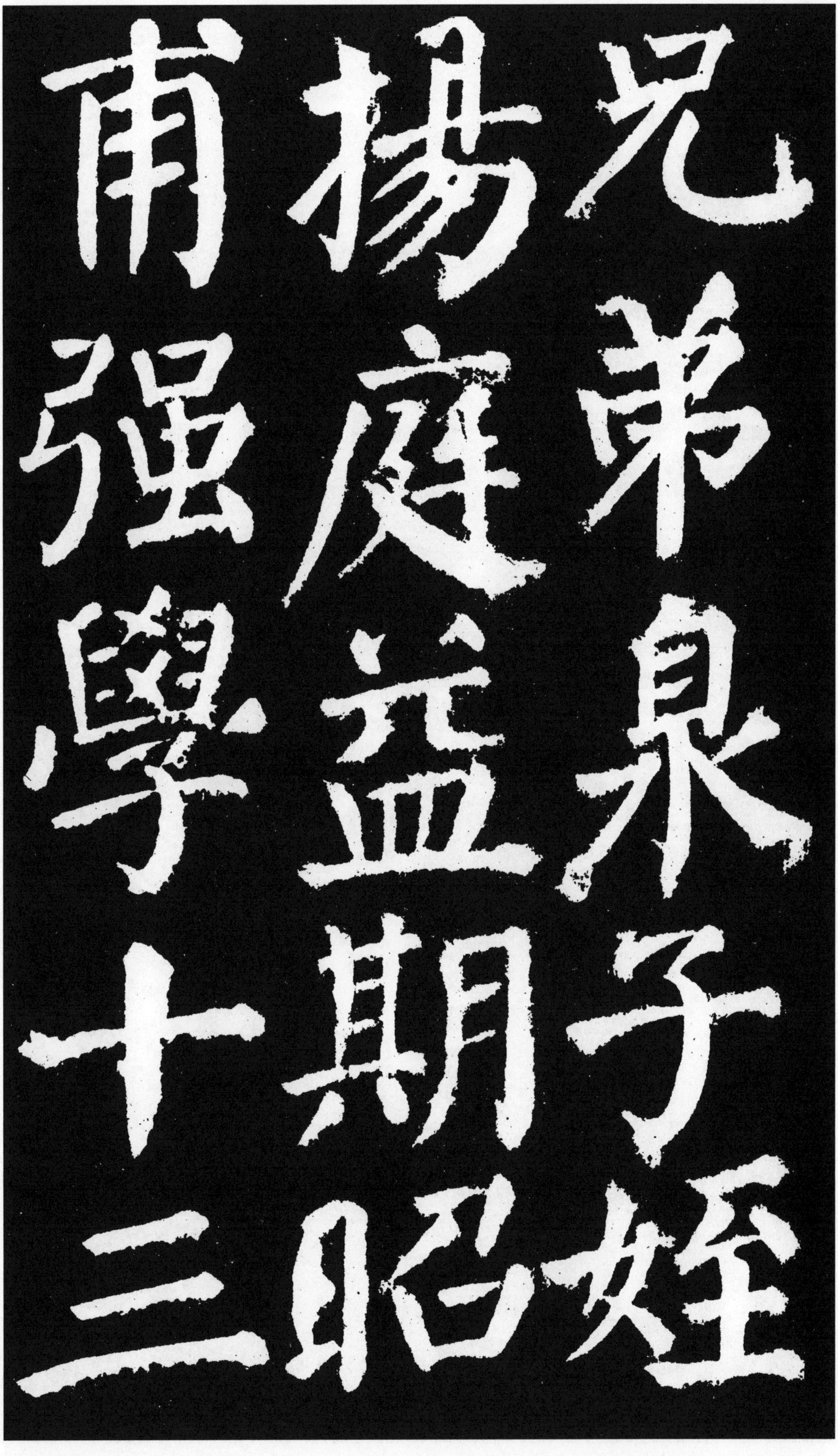

兄弟泉子姪　揚庭益期昭　甫强學十三

人四世爲學　士侍讀事見　柳芳續卓絶

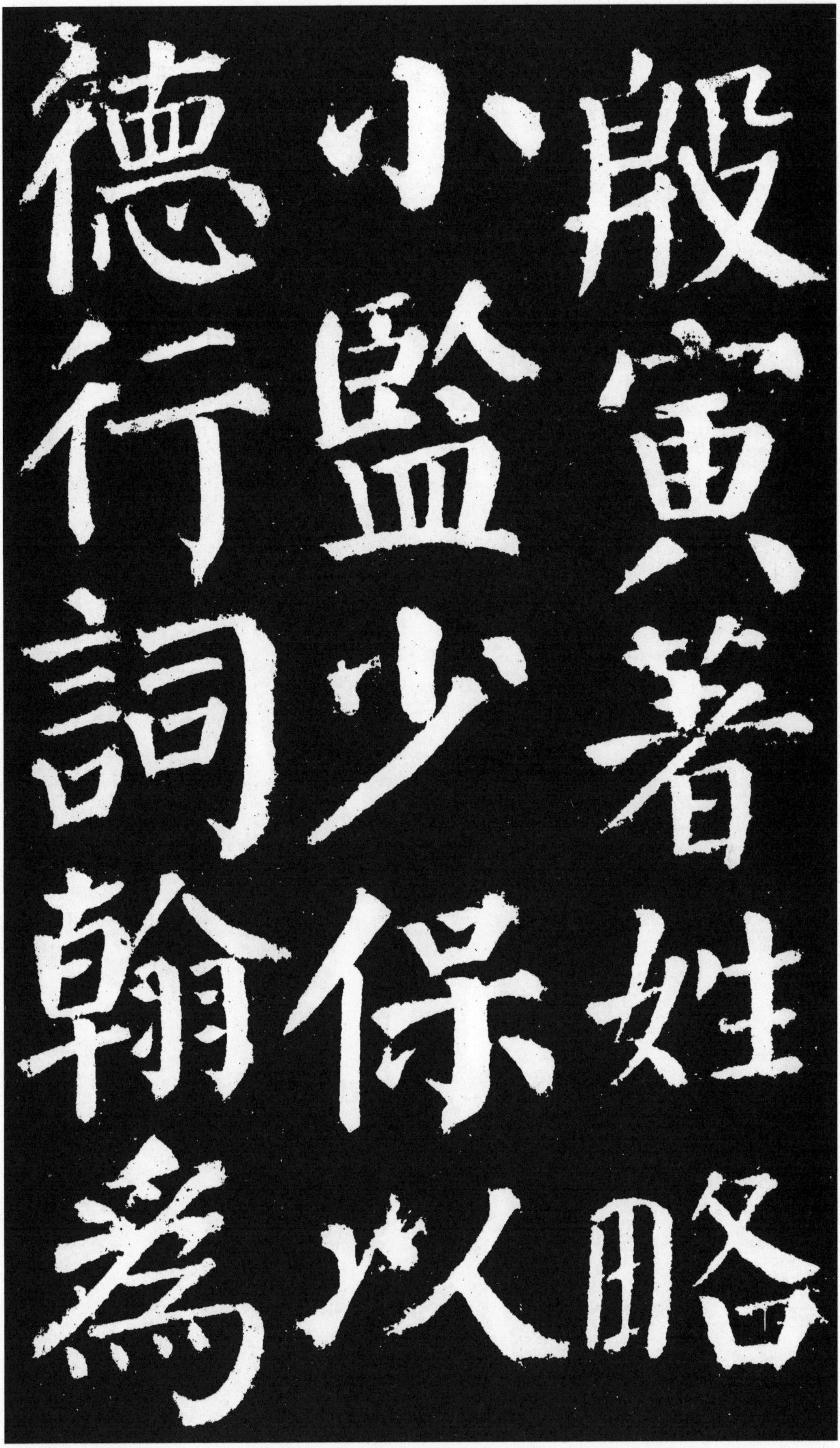

殷寅著姓略　小監少保以　德行詞翰爲

天下所推春　卿杲卿曜卿　允南而下臬

君之羣(群)從光　庭千里康成　希莊日損隱

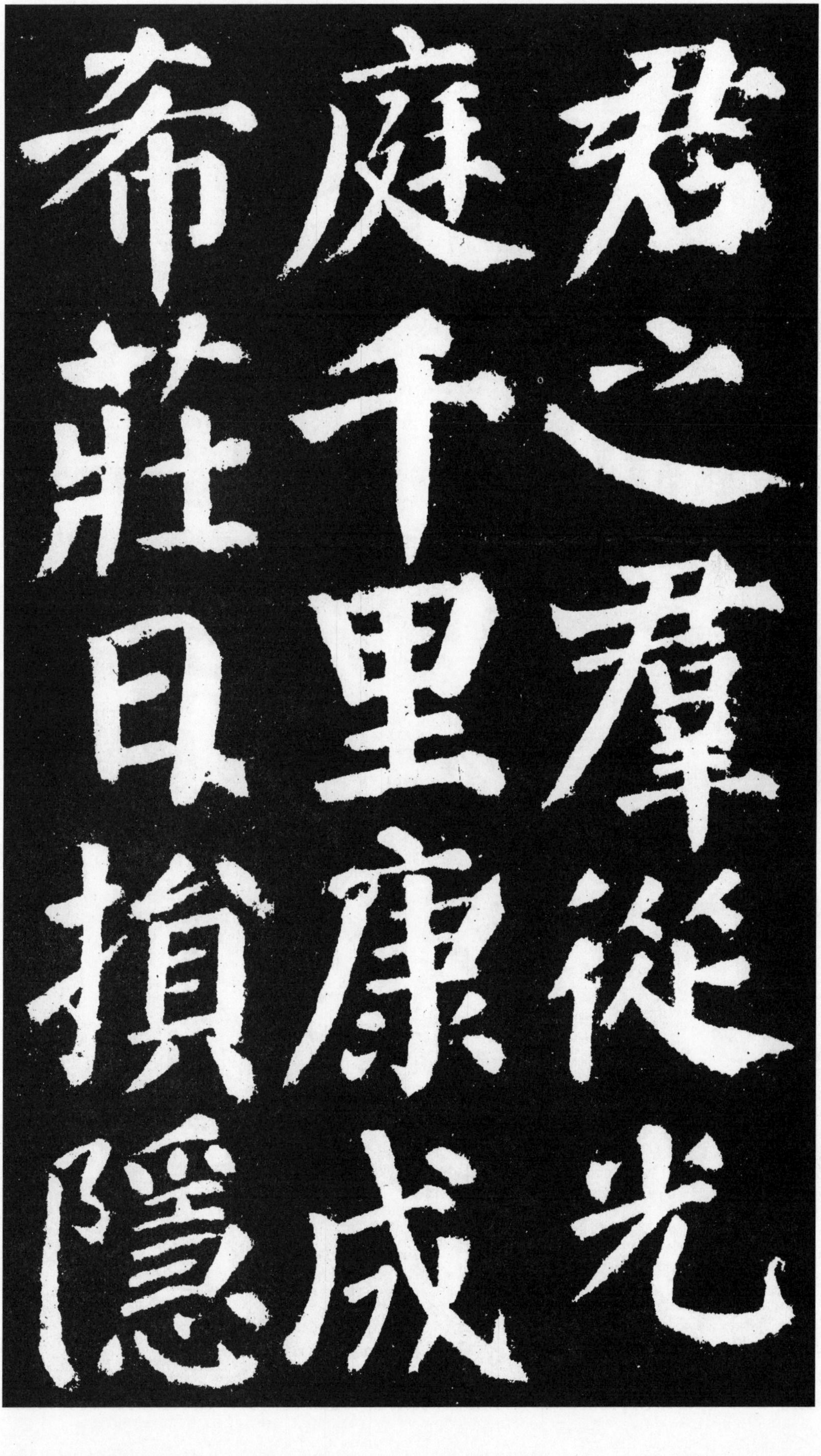
君之羣從光
庭千里康成
希莊日損隱

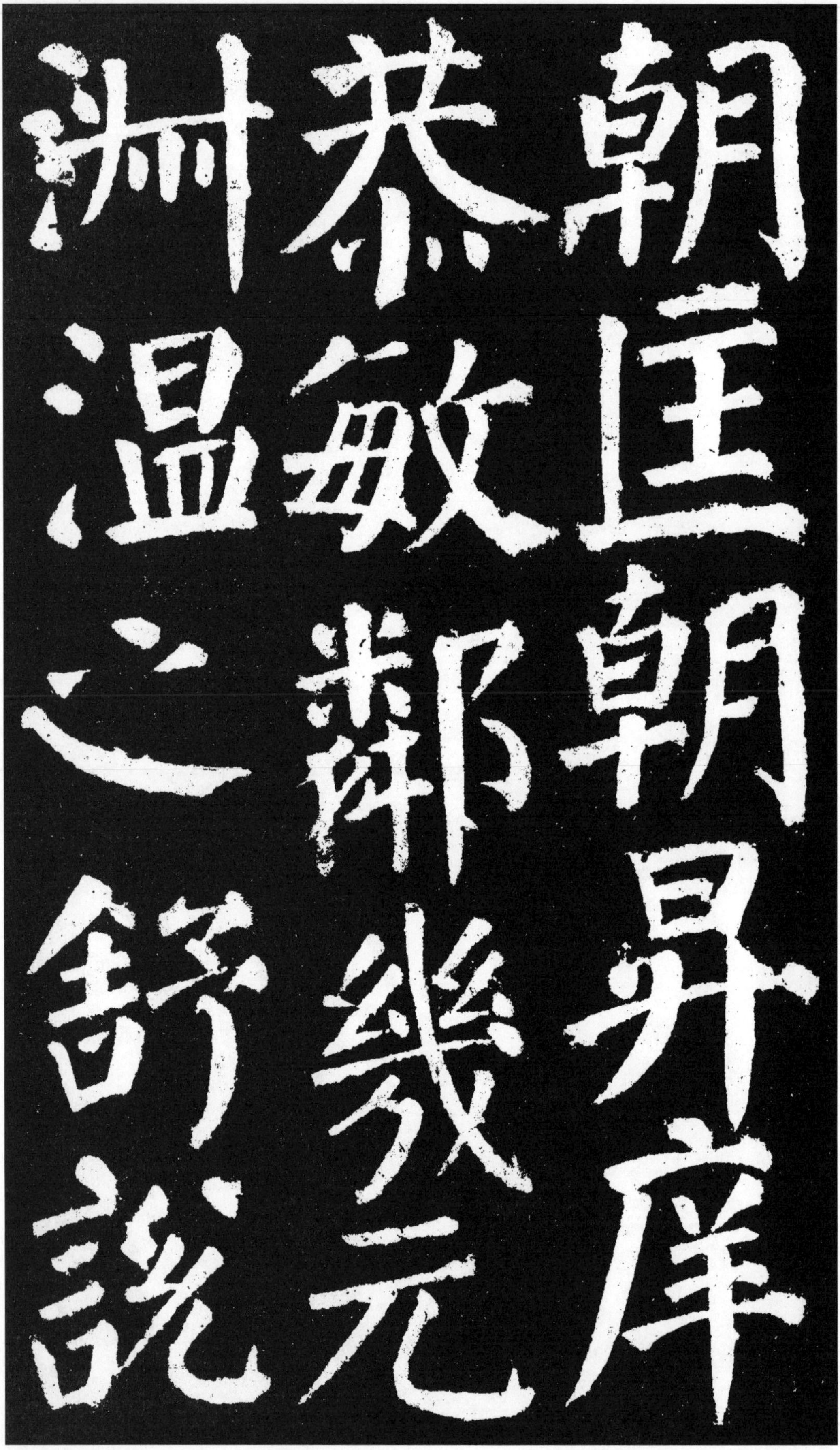

朝匡朝昇庠　恭敏鄰幾元　淑温之舒説

順勝怡渾允　濟挺式宣韶　等多以名德

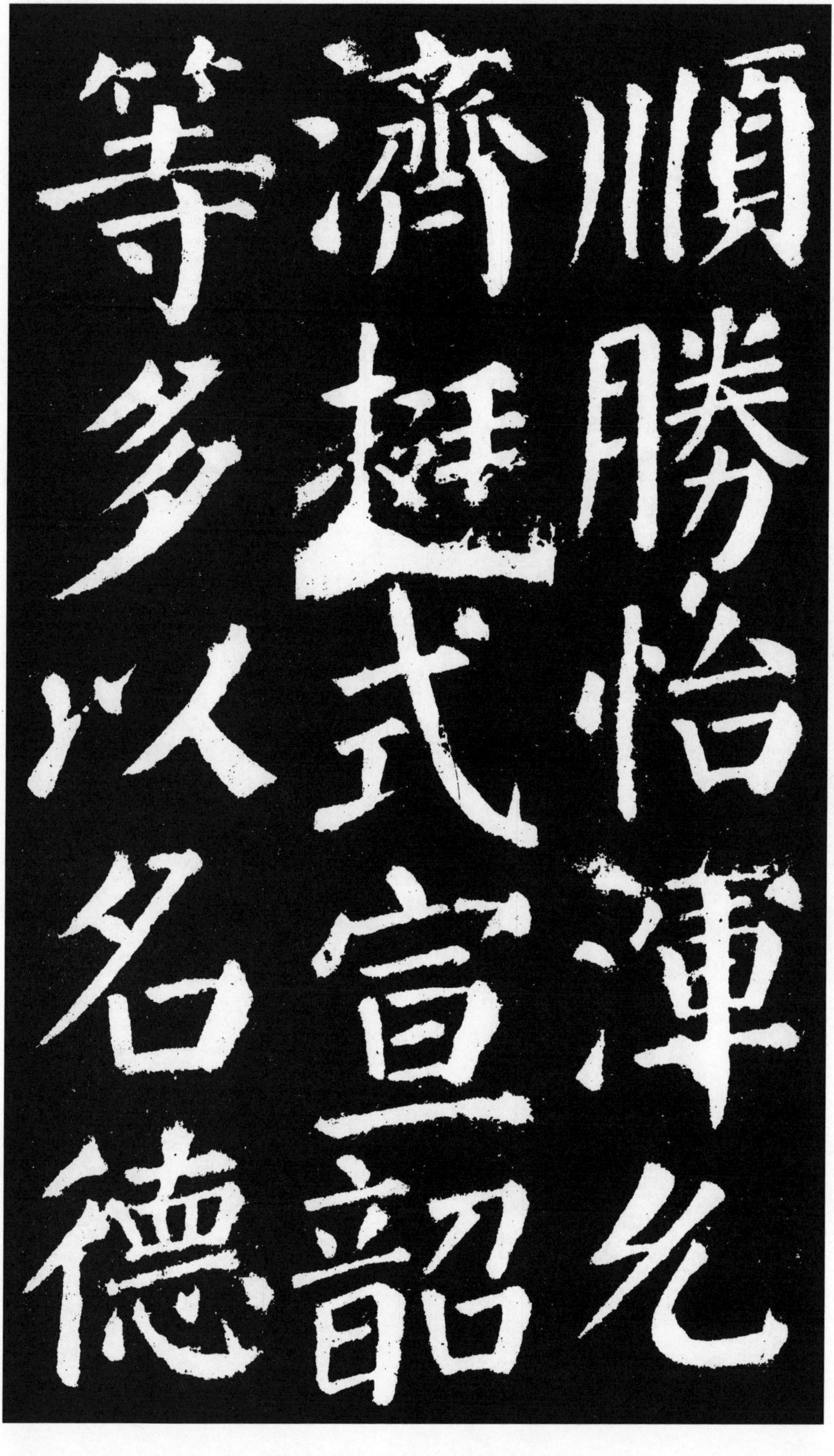

著述學業文
翰交映儒林
故當代謂之

著述學業文　翰交映儒林　故當代謂之

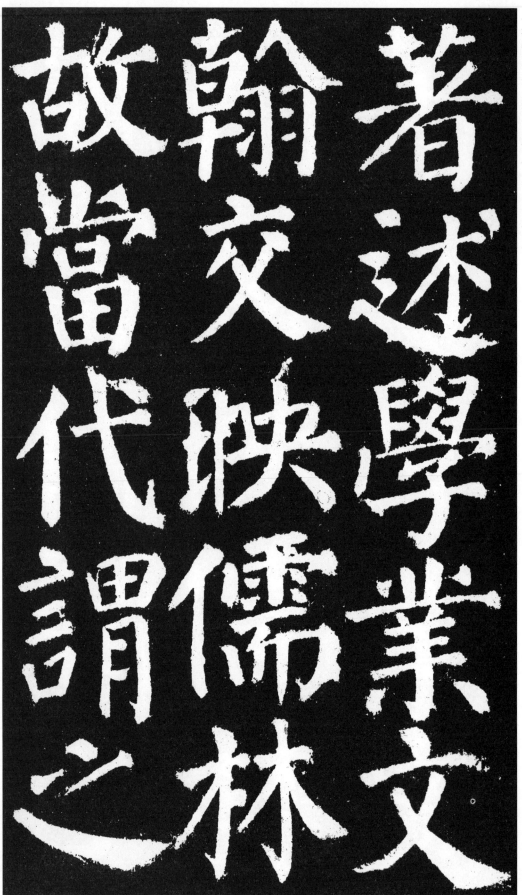

學家非夫君　之積德累仁　貽謀有裕則

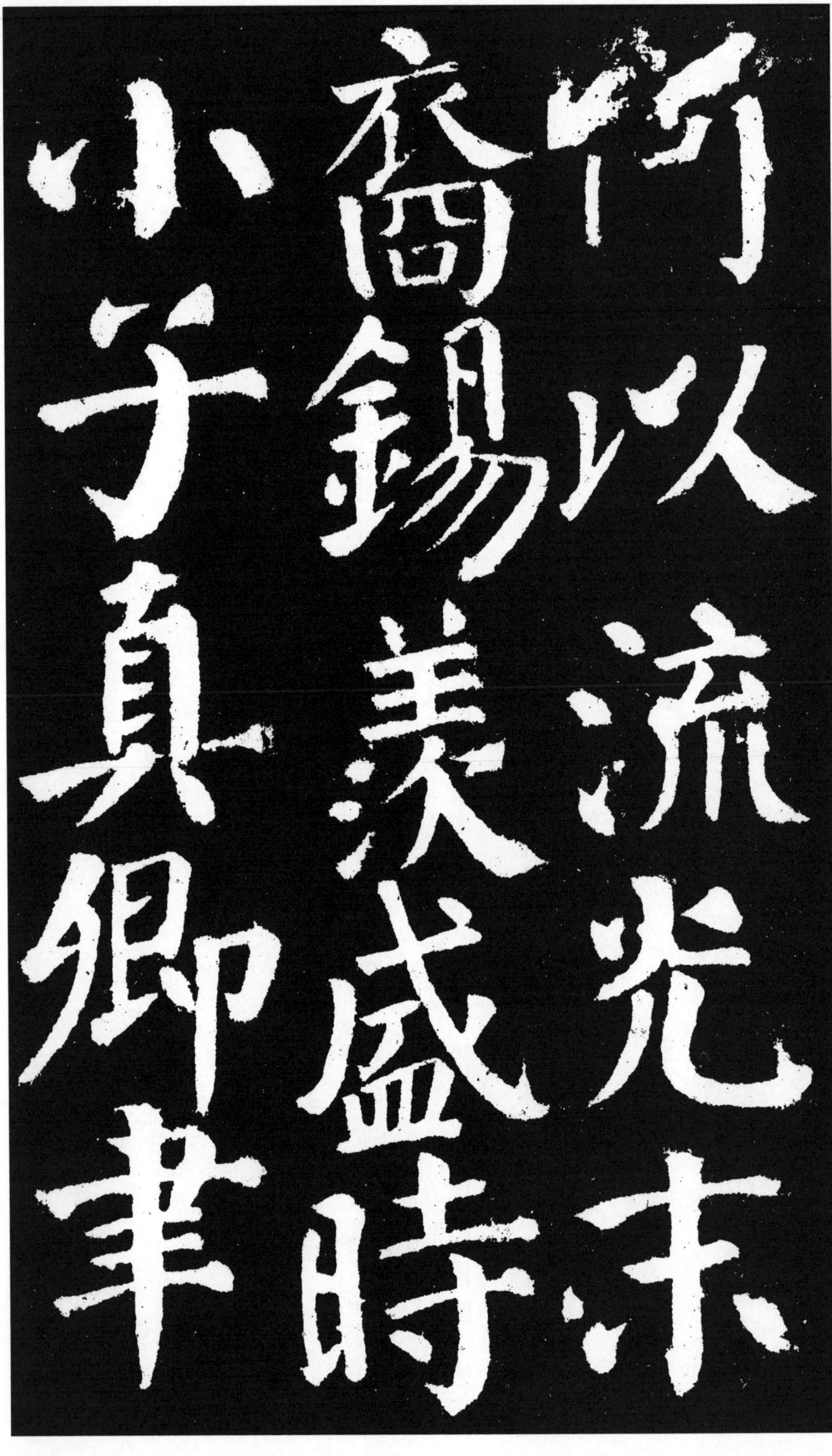

何以流光末　裔錫羡盛時　小子真卿聿

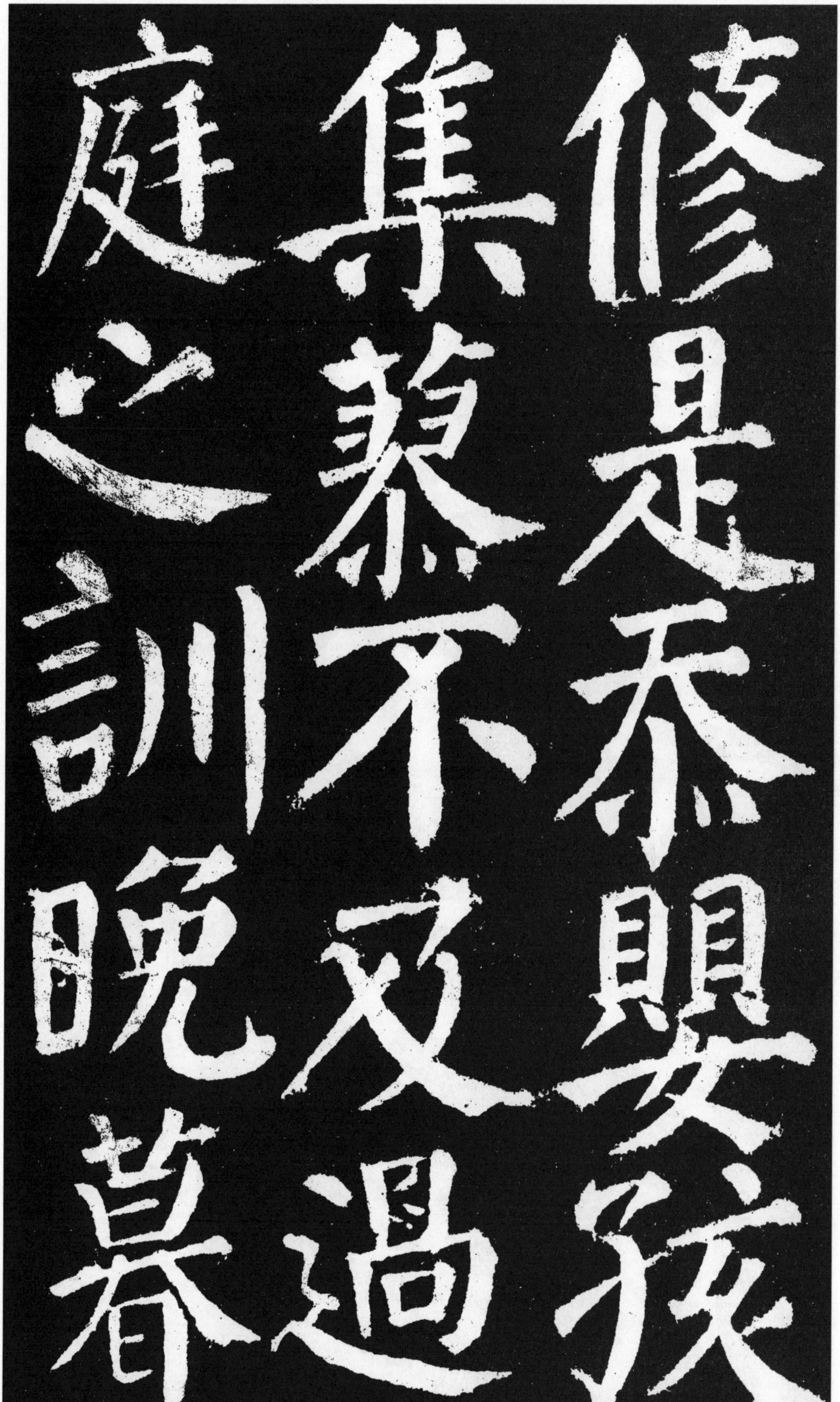

修是忝嬰孩　集蓼不及過　庭之訓晚暮

論譔莫追長　老之口故君　之德美多恨

闕遺銘曰

英童女
呼顏郎

英童集
是也更

首溫大
初君在

愍楚與
直内史

彦博同
省愍楚

學業顯其後職

氏為優
位溫氏